子どもの保健

改訂第3版

編著 ● 渡辺 博
帝京大学医学部附属溝口病院小児科
上智社会福祉専門学校保育士科

中山書店

改訂第3版 序

　本書の初版が出版されたのが今から6年以上前の2010年，第2版が出版されたのが2012年で，第2版からはおよそ5年が経過した．この間，諸先輩方よりさまざまなご意見やはげましのお言葉を頂戴した．たいへんありがたく，この場を借りて深謝いたします．こういったご意見は今回の改訂にも反映させていただいた．

　本書の初版のタイトルは『小児保健』であった．しかし2011年の保育士養成課程カリキュラムの見直しに伴う変化にならい，第2版からは『子どもの保健』とタイトルを改め現在に至っている．第2版での最大の変化は「子どもの心と健康」の章の新設であった．これにより現代の保育現場の要望にもより応えられる内容にできたと思う．

　第2版が出版された2012年からこのたびの改訂2016年までの小児保健における最大の変化は予防接種の分野であった．この間にHibワクチン，小児用肺炎球菌ワクチン，子宮頸がん予防ワクチン，水痘ワクチン，B型肝炎ワクチンと多くのワクチンが小児対象の定期接種に導入された．第3版では予防接種の解説内容を最新のものに書き改めた．また他の分野でも統計データはできるだけ最新のものに改めた．本書がこれからも子どもの保健の講義のお役に立てることを願って止まない．

　最後に押し詰まった改訂スケジュールのなか，精力的に作業に取り組んでいただいた中山書店編集部の諸氏に深謝する．

　2017年1月

渡辺　博

序

　私は小児科医である．今から14年前，ある先輩の薦めにより上智社会福祉専門学校保育士科（当時は保母科）で小児保健の講義を担当することになった．開始当初は小児保健の分野には不案内なところも多くいろいろ苦労した．教科書を指定して講義を進めたこともあったが，最近は自作のパワーポイントで講義を進めている．

　以前さる先輩から「小児保健は病気のことだけ教えていたんではダメなんだよ」とうかがったことがあった．なるほどと思い，病気に偏らず小児保健全般を手広く教えるよう心がけてきた．しかしあるとき気づいたのは，保育士科の講師陣を見回すとさまざまな分野の専門家が揃っているのだが，小児の病気の専門家は小児科医以外いないということであった．また学生さんたちも病気の知識を求めていることがわかり，その後はむしろ堂々と病気を中心に据えた小児保健の講義をするようになった．この教科書はその私の最近の講義録をもとにまとめたものである．

　これまで私の講義を熱心に聞いてたくさんの質問を投げかけてくれた上智社会福祉専門学校保育士科のすべての学生さんたち，および今も何かとお世話になっている教職員の皆様に深謝する．また執筆のきっかけをいただいた東京大学大学院医学系研究科小児医学講座の五十嵐隆教授，遅々とした執筆ペースにも耐えていただき，数々の有益な助言をいただいた中山書店編集部に深謝する．最後に執筆を陰で支えてくれた最愛の家内と娘に感謝する．

2010年8月

渡辺　博

CONTENTS

1章 子どもの保健を学ぶ ─── 2
1. 子どもの保健とは何か ……… 2
2. 子どもの保健を学ぶ意義・目的 ……… 2
   子どもと感染症／子どもと集団生活／子どもと事故／子どもの年齢区分
3. 日本の子どもの保健水準 ……… 4
   乳児死亡率／新生児死亡率／周産期死亡率／出生率，合計特殊出生率
4. 子どもの保健に関係する法律と制度・施策 ……… 7
   児童福祉法／児童憲章／児童の権利に関する条約／児童虐待の防止等に関する法律

2章 身体の成長 ─── 14
1. 成長と発達 ……… 14
   乳幼児身体発育調査
2. 体重 ……… 19
3. 身長 ……… 19
   計測のポイント
4. 頭囲 ……… 20
   計測のポイント／評価のポイント
5. 胸囲 ……… 22
6. 肥満とやせの評価 ……… 22
   カウプ指数／BMI／ローレル指数

   7　スキャモン（Scammon）の臓器別発育曲線 ……………………… 23
　　　一般型の曲線／中枢神経系型の曲線／リンパ系型の曲線／生殖
　　　器型の曲線

3章　子どもの発達 ——————————————————— 26

   1　発達とは ………………………………………………………………… 26
   2　運動発達，精神発達 …………………………………………………… 26
　　　原則とポイント／0〜2か月／2〜4か月／4〜6か月／6〜9
　　　か月／9〜12か月／1〜2歳／2歳以降
   3　運動発達・精神発達の評価 …………………………………………… 32
   4　生理機能の発達 ………………………………………………………… 33
　　　呼吸／脈拍／免疫／視覚／聴覚／睡眠

4章　子どもの栄養 ——————————————————— 39

   1　子どもの栄養の特徴 …………………………………………………… 39
   2　母乳栄養 ………………………………………………………………… 39
　　　母乳栄養の長所／母乳栄養の短所／初乳と成熟乳／このような
　　　ときは母乳不足を疑う／母親の感染症と母乳／母親の内服薬と
　　　母乳
   3　粉乳による栄養 ………………………………………………………… 42
　　　乳児用調製粉乳／調乳法／授乳法
   4　混合栄養 ………………………………………………………………… 43
   5　離乳食 …………………………………………………………………… 44
　　　開始時間・期間／咀嚼の開始／調理法／分量／環境
   6　幼児の食事 ……………………………………………………………… 48
   7　間食 ……………………………………………………………………… 49

5章　生活と健康 ——————————————————— 51

   1　体温 ……………………………………………………………………… 51

2　冷暖房 ………………………………………………… 52
　　　エアコンの使用／冷暖房器具使用の注意点
　3　水分補給 ……………………………………………… 53
　　　嘔吐や下痢の際の対応
　4　便，おむつ …………………………………………… 54
　　　便の特徴／おむつの使用
　5　睡眠，夜泣き ………………………………………… 55
　　　昼夜のリズム／睡眠時の姿勢／夜泣き
　6　日光浴・外気浴 ……………………………………… 55
　7　入浴 …………………………………………………… 56
　8　歯磨き ………………………………………………… 56
　9　遊び …………………………………………………… 57
　10　外出 …………………………………………………… 57

6章　子どもの事故とその予防 …………………………… 60

　1　子どもの事故の特徴 ………………………………… 60
　2　窒息 …………………………………………………… 61
　3　誤飲 …………………………………………………… 63
　4　転倒・転落 …………………………………………… 64
　5　溺水 …………………………………………………… 65
　6　熱傷（やけど） ……………………………………… 66
　7　事故と予防 …………………………………………… 67
　8　救急処置 ……………………………………………… 67
　　　誤飲時の処置／窒息時の処置／熱傷時の処置／頭部打撲時の対応／心肺蘇生

7章　遺伝と健康 …………………………………………… 72

　1　遺伝 …………………………………………………… 72
　2　タンパク質 …………………………………………… 72

3 遺伝子	73
4 染色体	73
5 優性遺伝と劣性遺伝	74
6 遺伝病	76
7 遺伝子病	76
8 染色体異常	76

トリソミー／モノソミー／構造異常

9 出生前診断	78
10 遺伝子診断と遺伝カウンセリング	79

8章 子どもの症候 ── 81

1 発熱	81
2 食欲	81
3 きげん	82
4 嘔吐	82

肥厚性幽門狭窄症／ウイルス性胃腸炎／髄膜炎

5 下痢	84
6 脱水	84
7 咳	85
8 鼻汁とくしゃみ	85
9 けいれん	86

9章 感染症 ── 89

1 病原体と感染症	89
2 子どもと感染症	89
3 集団生活と感染症	90
4 感染経路	90

飛沫核感染（空気感染）／飛沫感染／接触感染／一般媒介物感染／昆虫媒介感染／経胎盤感染

5 学校感染症 ………………………………………………… 92
   第一種／第二種／第三種
6 溶連菌感染症 ……………………………………………… 93
7 黄色ブドウ球菌感染症 …………………………………… 94
8 百日咳 ……………………………………………………… 95
9 インフルエンザ菌b型（Hib）感染症 …………………… 95
10 麻疹（はしか） …………………………………………… 96
11 風疹 ………………………………………………………… 96
12 水痘（みずぼうそう） …………………………………… 97
13 おたふくかぜ ……………………………………………… 97
14 かぜ症候群 ………………………………………………… 97
15 インフルエンザ …………………………………………… 98
16 RSウイルス感染症 ………………………………………… 98
17 感染性胃腸炎 ……………………………………………… 99
18 食中毒 ……………………………………………………… 99
   毒素型／感染型／混合型／自然毒

10章 予防接種 ……………………………………………………… 105

1 ワクチンとは ……………………………………………… 105
2 勧奨接種のワクチン ……………………………………… 106
   B型肝炎ワクチン／Hibワクチン／小児用肺炎球菌ワクチン／
   DPT-IPVワクチン／BCGワクチン／MR混合ワクチン（麻
   疹・風疹混合ワクチン）／水痘ワクチン／日本脳炎ワクチン／
   ヒトパピローマウイルスワクチン
3 勧奨接種以外のワクチン（接種が望ましいもの） ……… 114
   おたふくかぜワクチン／インフルエンザワクチン／ロタウイル
   スワクチン
4 勧奨接種以外のワクチン（状況により接種が望ましいもの）… 117

11章 免疫・アレルギーと健康 —————————— 120

1 免疫 ·································· 120
2 アレルギー ···························· 120
3 アトピー性皮膚炎 ······················ 121
4 気管支喘息 ···························· 123
5 花粉症 ································ 124
6 食物アレルギー ························ 125
7 アナフィラキシー ······················ 125

12章 子どもの重要な病気 ———————————— 129

1 急性の病気 ···························· 129
   乳幼児突然死症候群／川崎病／尿路感染症／熱性けいれん／熱中症
2 慢性の病気 ···························· 133
   慢性腎炎／成長ホルモン分泌不全性低身長症／てんかん／白血病／難聴／先天性心疾患／慢性肺疾患／脳炎麻痺

13章 子どもの心と健康 ————————————— 140

1 発達とは ······························ 140
2 発達障害 ······························ 140
3 発達障害のいろいろ ···················· 142
   発達障害の種類／自閉症スペクトラム障害（広汎性発達障害）／注意欠陥多動性障害（ADHD）／学習障害／精神遅滞
4 虐待 ·································· 145
   児童虐待／児童虐待の防止等に関する法律／児童虐待の現状／児童虐待の背景／児童虐待の発見
5 子どもの心を守る ······················ 149
6 子育てのなかで（乳幼児） ·············· 150

14章 地域との関わり ———— 152

 1 母子保健対策 ……………………………… 152
 2 健診 ………………………………………… 152
   母子健康手帳
 3 保育所，幼稚園，こども園 ……………… 154
 4 保健所・保健センター，児童相談所 …… 158
 5 医療上の支援 ……………………………… 161
   未熟児養育医療／小児慢性特定疾患／自立支援医療（育成医療）
 6 児童福祉施設 ……………………………… 163

索引 ———————————————————— 165

本書の読み方

重要な項目，必ず押さえておきたいこと

▶
知識を広げるための記述，実践に役立つアドバイスなど

用語解説
渡辺先生が専門用語をやさしく解説

ミニレクチャー
最新知見・情報を板書風に解説

子どもの保健

改訂第3版

1章 子どもの保健を学ぶ

1 子どもの保健とは何か

- ◉子どもの保健とは，子どもの健康を保持・増進するために必要な方策，有効な方策を考え，実行していく学問分野である．
- ●健康とは「身体だけではなく，精神的にも社会的にも良好な状態である」と定義されている（1946年，WHO）．
  - ▶身体的な健康：いわゆる病気（疾病）が対象となる．
  - ▶精神的な健康：発達障害，いじめ，虐待といった問題が対象となる．
  - ▶社会的な健康：貧困，災害，戦争，飢饉などの問題が対象となる．
- ●健康に影響を与える因子は，時代とともに変化する．
- ●子どもの保健が扱う分野，対象も，時代とともに変化する．

2 子どもの保健を学ぶ意義・目的

- ◉保育士をはじめとした，子どもにかかわる職種において，子どもの健康を保持し，健康状態の変化を察知することは重要である．
- ◉子どもは，大人をただ小さくしたものではなく，大人とは異なるさまざまな特徴を有している．
  - ▶大人である自分の経験を，単純に子どもに当てはめて判断すると，思いがけない誤りに陥る．
- ●子どもの健康は，子どもの基準で考えて初めて正確に判断できる．

子どもと感染症

- 子どもは，大人と比べ免疫能が未熟であるため，感染症にかかりやすい．
- 大人にとっては感染症の驚異がそれほどでもない現代においても，子どもにとって感染症は，今なお大きな問題である．
  - ▶ 感染症とその対処法に関する知識は，子どもにかかわる職種においては必須である．
  - ▶ 感染症を予防する予防医学の知識も，子どもにかかわる職種においては必須である．

子どもと集団生活

- 子どもの日常生活では，一般に**集団生活**[*1]の占める割合が高い．
- 集団生活は，子どもにとって社会性の獲得の面で重要な側面を有する．
- しかし，集団生活は，感染症罹患のハイリスクの環境である．
- 子どもの集団生活の意義と危険性の双方を理解し，バランスのとれた運用を図ることが重要である．

子どもと事故

- 子どもの健康問題にとって，事故およびその予防は，疾病の予防・対処以上に重要である．
- 5歳以降の子どもの死因の第1位，1〜4歳の子どもの死因の第2位は，不慮の事故である．
- 子どもの事故の発生と種類は，子どもの**発達段階**[*2]と深いつながりがある．
- 事故は予防が可能である．

子どもの年齢区分

- 子どもの年齢区分は，**1-❶**のように定義される．
- 思春期の開始はおよそ10〜12歳前後，終了は15〜18歳ごろである

1 子どもの保健を学ぶ

1-❶ 子どもの年齢区分	
早期新生児期	生後7日未満
新生児期	生後28日未満
乳児期	1歳未満
幼児期	1歳以降，6歳未満
学童期	6歳以降，12歳まで
思春期	二次性徴発現以降，18歳ころまで
なお，学童期と思春期は，重なりあう部分もあり，明確な区分はない．	

が，明確な区切りは存在しない．
- 小児期の区分は世界共通ではないため，国により多少異なる場合がある．

3 日本の子どもの保健水準

- 子どもの身体的健康水準を表す指標には，乳児死亡率，新生児死亡率，早期新生児死亡率（1-❷），周産期死亡率がある．

乳児死亡率

- **乳児死亡率**[*3]は，出生した新生児1,000人あたり，何人が1年以内で死亡したかを表した数である．
- 乳児死亡率が低いほど，乳児の身体的健康水準が高いと考えられる．
- 日本の乳児死亡率は，先進国のなかでもきわめて低く，世界のトップレベルにある（1-❸）．

新生児死亡率

- **新生児死亡率**[*4]は，出生した新生児1,000人あたり，何人が生後28日未満で死亡したかを表した数である．
- 新生児死亡率が表す意味は，乳児死亡率のそれと近いが，出生前後の新生児医療の水準を，より直接的に反映するものと考えられる．
- **早期新生児死亡率**[*5]は，出生した新生児1,000人あたり，何人が生

1-❷ 新生児死亡率，乳児死亡率の推移

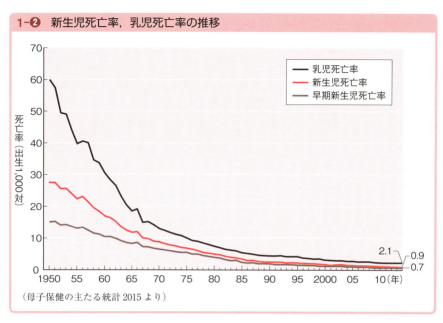

（母子保健の主たる統計 2015 より）

1-❸ 世界の乳児死亡率

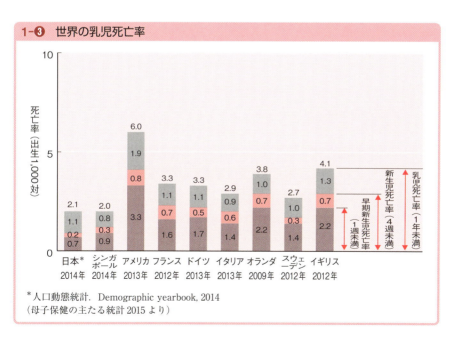

* 人口動態統計．Demographic yearbook, 2014
（母子保健の主たる統計 2015 より）

1 子どもの保健を学ぶ

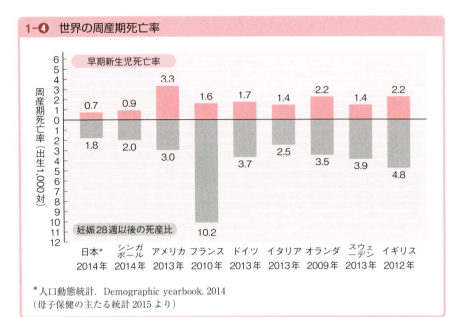

1-❹ 世界の周産期死亡率

* 人口動態統計．Demographic yearbook, 2014
（母子保健の主たる統計 2015 より）

後 7 日未満で死亡したかを表した数である．
- 早期新生児死亡率は，新生児死亡率に比べ，より狭義に新生児医療のレベルを反映する指標である．

周産期死亡率

- **周産期死亡率**[*6] は，出生した新生児 1,000 人あたり，何人の早期新生児死亡および妊娠 22 週（国際的には 28 週）以降の死産が起こるかを表した数である．
- 周産期死亡率は，産科医療のレベルと新生児医療のレベルの両方を反映する指標である．
- 日本の周産期死亡率は，先進国のなかでもきわめて低く，世界のトップレベルにある（1-❹）．

1-❺ 合計特殊出生率の計算法

年齢層	女性人口（M）	年間出生数（B）	出生率（R＝B／M）
15	100,005	15	R1＝0.00015
16	100,010	101	R2＝0.00101
17	100,022	198	R3＝0.00198
47	12,005	10	R33＝0.00083
48	13,005	5	R34＝0.00038
49	14,005	1	R35＝0.00007

合計特殊出生率（R1＋R2＋・・・＋R35）＝1.320178

出生率，合計特殊出生率

- 出生率[*7]は，人口1,000人あたり，何人が1年間に出生したかを表した数字である．
- 合計特殊出生率[*8]は1人の女性が生涯にわたって何人の子どもを産むことになるか推計する数字である．
  - ▶ 15歳から49歳までの年齢層の女性が出産可能と仮定して計算されている．
  - ▶ 15歳から49歳までの35年間，結婚年齢や産児数の傾向が変わらないことを前提とした推計である（**1-❺**）．
- 日本の出生数と合計特殊出生率は **1-❻** のように推移している．
  - ▶ 出生数は低迷状態である．
  - ▶ 合計特殊出生率は若干の増加傾向となっているが，まだ本格的なものではない．

4 子どもの保健に関係する法律と制度・施策

児童福祉法（1-❼）

- 1947年に制定された．

1 子どもの保健を学ぶ

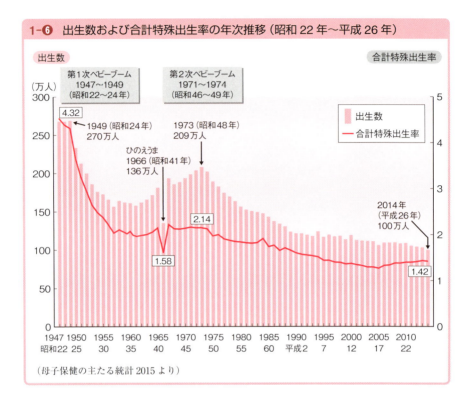

1-❻ 出生数および合計特殊出生率の年次推移（昭和22年〜平成26年）

（母子保健の主たる統計 2015 より）

1-❼ 児童福祉法（冒頭）

第1章　総則

第1条　すべて国民は，児童が心身ともに健やかに生まれ，且つ，育成されるよう努めなければならない．

すべて児童は，ひとしくその生活を保障され，愛護されなければならない．

第2条　国及び地方公共団体は，児童の保護者とともに，児童を心身ともに健やかに育成する責任を負う．

（以下，略）

> **1-⑧　児童憲章（冒頭）**
>
> 　われらは，日本国憲法の精神にしたがい，児童に対する正しい観念を確立し，すべての児童の幸福をはかるために，この憲章を定める．
>
> - 児童は，人として尊ばれる．
> - 児童は，社会の一員として重んぜられる．
> - 児童は，よい環境の中で育てられる．　　　　　　　　　　　（以下，略）

- ⦿ 現代の**児童福祉**[*9]に関連する諸々の施設や，これらの基礎となる法律の根拠となる基本的な法律として制定された．
- 現在も，この法律が児童福祉に関する制度・施策の基本となっている．
- この法律は，「大人が小児へ保護や福祉といった恩恵を与える」という概念が基本となっており，現代ではやや古い発想の感がある．

児童憲章（1-⑧）

- 児童福祉法の成立から間もない 1951 年に，制定された．
- ⦿ この憲章は法律ではないが，国の指導のもとに成立した憲章で，法律に近い性格をもつ．
- 児童福祉法にみられる「大人が子どもに恩恵を与える」といった発想は，この憲章では薄まっている．
- 「権利」ということばは，まだ使われていないものの，それに近いニュアンスが用いられている．

児童の権利に関する条約（1-⑨）

- 1989 年に，国連総会で採択された．日本では，1994 年に批准され，発効した．
- 法律ではなく，国際条約である．
- 前文と 54 条の条文から成る．
- ⦿ 子どもの福祉は大人から子どもへの恩恵ではなく，子どもの固有の

1-❾ 児童の権利に関する条約（抜粋）

第6条　1　締約国は，すべての児童が生命に対する固有の権利を有することを認める．

第7条　1　児童は，出生の後直ちに登録される．児童は，出生の時から氏名を有する権利及び国籍を取得する権利を有するものとし，また，できる限りその父母を知りかつその父母によって養育される権利を有する．

第13条　1　児童は，表現の自由についての権利を有する．この権利には，口頭，手書き若しくは印刷，芸術の形態又は自ら選択する他の方法により，国境とのかかわりなく，あらゆる種類の情報及び考えを求め，受け及び伝える自由を含む．

第24条　1　締約国は，到達可能な最高水準の健康を享受すること並びに病気の治療及び健康の回復のための便宜を与えられることについての児童の権利を認める．締約国は，いかなる児童もこのような保健サービスを利用する権利が奪われないことを確保するために努力する．

1-❿ 児童虐待の防止等に関する法律（抜粋）

第5条（児童虐待の早期発見等）
　学校，児童福祉施設，病院その他児童の福祉に業務上関係のある団体及び学校の教職員，児童福祉施設の職員，医師，保健師，弁護士その他児童の福祉に職務上関係のある者は，児童虐待を発見しやすい立場にあることを自覚し，児童虐待の早期発見に努めなければならない．

第6条（児童虐待に係る通告）
　児童虐待を受けたと思われる児童を発見した者は，速やかに，これを市町村，都道府県の設置する福祉事務所若しくは児童相談所又は児童委員を介して市町村，都道府県の設置する福祉事務所若しくは児童相談所に通告しなければならない．
　刑法の秘密漏示罪の規定その他の守秘義務に関する法律の規定は，第一項の規定による通告をする義務の遵守を妨げるものと解釈してはならない．

（下線は筆者強調）

権利であると，はっきりとみなすようになった．

児童虐待の防止等に関する法律（1-⑩）

- 2000年に制定された．
- ◉**児童虐待**＊10 防止のため，関係者に早期発見の義務，通告の義務を課した，画期的な法律である．

用語解説

*1 集団生活

保育所, 幼稚園, 学校, 公園, 児童館, 塾など.

*2 発達段階

個人差はあるが, 下記のように段階的に発達する (p.27 参照).
首のすわり (頸定) →手でものをつかむ→寝返り→おすわり
→はいはい→つかまり立ち→ひとり歩き

*3 乳児死亡率

$$乳児死亡率 = \frac{1年間の乳児死亡数}{1年間の出生数} \times 1,000$$

乳児は生後1年未満の児をさす.

*4 新生児死亡率

$$新生児死亡率 = \frac{1年間の新生児死亡数}{1年間の出生数} \times 1,000$$

新生児は28日未満の児をさす.

*5 早期新生児死亡率

$$早期新生児死亡率 = \frac{1年間の早期新生児死亡数}{1年間の出生数} \times 1,000$$

早期新生児は7日未満の児をさす.

*6 周産期死亡率

$$周産期死亡率 = \frac{1年間の周産期死亡数}{1年間の出産数} \times 1,000$$

周産期死亡数とは, 早期新生児死亡数と妊娠22週以降の死産数の合計である.
出産数とは, 出生数と妊娠22週以降の死産数の合計である.

*7 出生率

$$出生率 = \frac{1年間の出生数}{日本の総人口} \times 1,000$$

*8 **合計特殊出生率**

合計特殊出生率 = $\left\{\dfrac{母（15〜49歳）各年齢層別の年間出生数}{各年齢層別の女性（15〜49歳）人口}\right\}$ 15〜49歳までの総和

*9 **児童福祉**

児童の健全な育成を図り，その最善の利益を保障するもの．

*10 **児童虐待**

保護者が児童に対して行う身体的・性的・心理的虐待，ネグレクト（13章参照）．

2章 身体の成長

1 成長と発達

- 成長とは，体重や身長といった身体の計測可能な指標の増加のことをいう．
- 発達とは成長に対する用語で，身体の機能的な変化，進展をさすことばである．
- 成長と発達をあわせて発育という．
- 成長と発達の確認は，乳幼児健診の重要な確認項目の一つである．
- 体重，身長，頭囲，胸囲は，乳幼児の成長を確認するため一般に測定される指標である．
- 体重，身長，頭囲は，測定ごとに適切な評価が必要である．
- 胸囲の評価は，体重，身長，頭囲に比べ，さほど重要ではない．

乳幼児身体発育調査

- 乳幼児保健指導の改善に役立てることを目的に，乳幼児身体発育調査が10年ごとに厚生労働省の主導で実施され，報告書が公表されている．
- ◉乳幼児身体発育調査報告書に含まれる発育パーセンタイル[*1]曲線は，乳幼児の体重，身長，頭囲，胸囲の評価に有用である（2-❶）．
- 発育パーセンタイル曲線は通常，妊娠時に交付される母子健康手帳に掲載されている．

2-❶ 発育パーセンタイル曲線—体重（2010年乳幼児身体発育調査：厚生労働省）

a. 体重（男子）

乳児 / 幼児

b. 体重（女子）

乳児 / 幼児

2 身体の成長

2-❶ 発育パーセンタイル曲線—身長（2010年乳幼児身体発育調査：厚生労働省）

c. 身長（男子）

d. 身長（女子）

2-❶ 発育パーセンタイル曲線―胸囲（2010年乳幼児身体発育調査：厚生労働省）

e. 胸囲（男子）

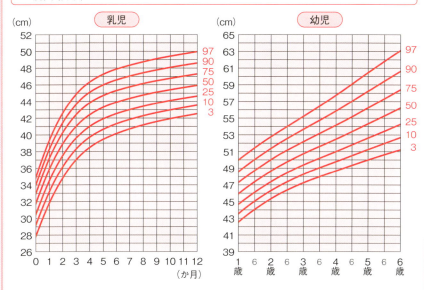

f. 胸囲（女子）

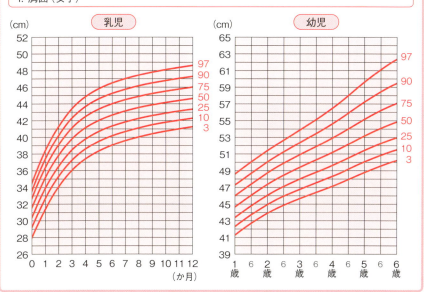

2 身体の成長

2-❶ 発育パーセンタイル曲線―頭囲（2010年乳幼児身体発育調査：厚生労働省）

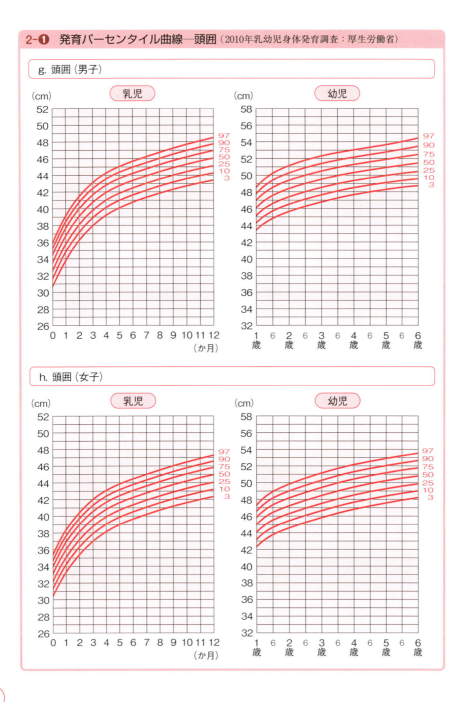

2-❷ 新生児の体位の年次変化（2010年乳幼児身体発育調査：厚生労働省）

	1960年	1970年	1980年	1990年	2000年	2010年	2000年 からののび
男子							
体重 (kg)	3.10	3.20	3.23	3.15	3.04	2.98	－0.06
身長 (cm)	50.0	50.2	49.7	49.6	49.0	48.7	－0.3
頭囲 (cm)	34.0	33.5	33.6	33.5	33.3	33.5	0.2
胸囲 (cm)	32.8	32.8	32.5	32.2	31.8	31.6	－0.2
女子							
体重 (kg)	3.00	3.10	3.16	3.06	2.96	2.91	－0.05
身長 (cm)	49.8	49.7	49.3	48.9	48.4	48.3	－0.1
頭囲 (cm)	33.6	33.1	33.2	33.1	32.9	33.1	0.2
胸囲 (cm)	32.5	32.6	32.4	32.0	31.6	31.5	－0.1

2 体重

- 出生時における男児の体重の平均値は 2,980 g，女児の体重の平均値は 2,910 g である．
- 出生時体重の平均値は 1980 年以降，男児女児とも減少傾向が続いている（2-❷）．
- 乳幼児の体重は，生後 3 か月には出生時のおよそ 2 倍，1 歳時には出生時のおよそ 3 倍と急激に増加する．
- 乳幼児，とくに 2 歳未満では，体重の増加率は児の栄養状態を直接反映する．
- 6 か月未満の母乳栄養児で体重増加不良がみられる場合，その原因で最も多いのは母乳不足である．
- 乳児で体重増加不良がみられる場合，一部では児自身の哺乳力が悪いことが原因となっている場合がある．

3 身長

- 出生時における男児の身長の平均値は 48.7 cm，女児の身長の平均

値は 48.3 cm である．
- 出生時身長の平均値は 1970 年以降，男児女児とも減少傾向が続いている（2-❷）．
- 乳幼児の身長は，1 歳時には出生時のおよそ 1.5 倍，4 歳 6 か月時にはおよそ 2 倍に増加する．
- 乳幼児の身長の増加率は，体重とは異なり，通常，児の栄養状態を反映しない．低栄養の場合も，固有の増加率が確保されるのがふつうである．

計測のポイント

- 起立し静止した状態が保てるようになるまでは，身長の計測は背臥位（仰向け）で行う（2-❸）．
- 乳児は下肢を屈曲位に保つ傾向が強く，下肢の伸展を嫌う傾向がある．また，身体を押さえつけられること自体嫌がる．このため，背臥位で行う身長の計測はしばしば困難を伴い，一般に乳幼児の身長計測値はある程度の誤差を伴うことが多い．
- 乳幼児の身長のデータを評価する際には，計測値に誤差が含まれることに留意するべきである．

4 頭囲

- 出生時における頭囲の平均値は，約 33 cm である．
- 頭囲の増加率は，生後 1 年以内が最も著しい．
- 頭囲の平均値は，1 歳で約 45 cm，3 歳で約 50 cm に達する．
- 出生時の頭囲の平均値は 1980 年以降，男児女児とも減少傾向が続いていたが，2010 年は若干増加に転じた（2-❷）．
- 新生児・乳児の頭蓋骨は，**骨縫合**[*2] が癒合しない状態が保たれている．これにより頭蓋内容積の変動は鋭敏に頭囲に反映される．

計測のポイント

- 頭囲は巻き尺を使って測定する．

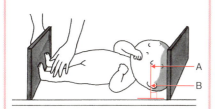

2-❸ 背臥位で測定する身長計

眼窩点（A）と耳珠点（B）とを結んだ直線が台板（水平面）に垂直になるように頭を固定する．図では頭部を保持するための手は省略している．

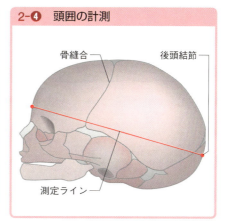

2-❹ 頭囲の計測

- 頭囲の計測値は巻き尺を回す場所により変動し，一定しない傾向がある．
- 頭囲の増加を評価するためには巻き尺を回す場所を固定し，できれば同一の人が計測することが望ましい．
- 頭囲計測の基準点の一つは，眉間中央と**後頭結節**[*3]を通るように結んだ曲線である（**2-❹**）．

評価のポイント

- 頭囲増加の評価に際しては，ある程度の測定誤差が避けられないことを銘記することが重要である．
- 頭囲の増加は通常，脳の容積の増加を反映する．
- 脳の容積は，新生児期から乳幼児期にかけて急激に増加する．
- 乳幼児期において，正常な増加率を超えて異常に頭囲が増加する場合は，脳の容積が異常に増加する病気，たとえば脳腫瘍や**水頭症**[*4]を発症している可能性があり，注意が必要である．
- 頭囲の増加率が標準を下回って異常に少ない場合は，**小頭症**[*5]の疑いがあり，注意が必要である．

5 胸囲

- 出生時における胸囲の平均値は，約 31.5 cm である．
- 胸囲の増加は，児の体格の増加をある程度反映する．
- しかし，乳幼児の体格の向上を最も鋭敏に反映する指標は体重と，体重・身長から算出される体格指数（後述）である．
- 体重と体格指数の評価が確実であれば，胸囲の測定値の評価は重要度が低い．

6 肥満とやせの評価

- 肥満ややせの程度は，体重と身長の組み合わせから算出される体格指数により評価する．
- 体重測定値だけから太りすぎ，やせすぎと評価することは大きな誤りであり，厳に慎まなければならない．
- 主な体格指数としてカウプ（Kaup）指数，ローレル（Röhrer）指数，BMI（body mass index）がある．

カウプ指数

- カウプ指数 ＝ 〔体重（g）/身長（cm）^{2}〕× 10
- 主に乳幼児の体格判定に使用されている．
- カウプ指数の基準値は年齢ごとに多少異なっており，評価のためには年齢ごとの基準値を参照する必要がある．およそのところでは 14 未満はやせぎみ〜やせすぎ，20 以上は太りぎみ〜太りすぎと考えられる．

BMI

- BMI ＝ 体重（kg）/身長（m）^{2}
- 成人の体格判定に使用されている．
- 成人を対象とすると，BMI の標準値は 22.0 である．18.5 未満はやせ，25.0 以上は肥満と考える．

- カウプ指数の計算式とBMIの計算式は，基本的には同じものである．

ローレル指数

- ローレル指数＝〔体重（kg）/身長（cm）^{3}〕× 10^7
- 主に学童期の体格判定に使用されることになっているが，現在利用されることは少ない．
- ローレル指数もカウプ指数と同様，基準値は年齢ごとに多少異なる．
- ローレル指数のおよその基準値は130である．およそ100未満はやせすぎ，160以上は太りすぎと考える．

7 スキャモン（Scammon）の臓器別発育曲線

- ヒトの臓器別の発育を大きく4つに類型化し，発育曲線として表したものである（2-❺）．
- スキャモンの臓器別発育曲線は歴史的には古いものであるが，臓器

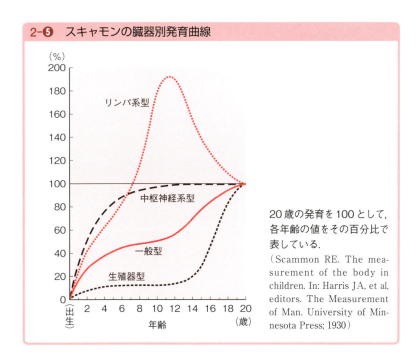

2-❺ スキャモンの臓器別発育曲線

20歳の発育を100として，各年齢の値をその百分比で表している．
(Scammon RE. The measurement of the body in children. In: Harris JA, et al, editors. The Measurement of Man. University of Minnesota Press; 1930)

2 身体の成長

別の発育パターンが巧みに表現されており，現代でも通用する内容である．

一般型の曲線

- 身長，体重など最も一般的なサイズ，臓器の発育速度・程度を表している．
- 出生直後の急激な発育と思春期に訪れる第二次成長期の発育の様子が見て取れる．
- ほかに，呼吸器，消化器，心臓，血液量などの発育パターンもこれに含まれる．

中枢神経系型の曲線

- 脳，神経，頭囲の発育速度・程度を表している．
- 1～2歳までに大きく発育し，6歳までには成人とほぼ同程度に達する様子が見て取れる．

リンパ系型の曲線

- 扁桃腺，リンパ節，胸腺など免疫系関連の組織・臓器の発育速度・程度を表している．
- 乳幼児期・学童期に大きく発育し，成人期を超えるサイズに達しているところが見て取れる．
- サイズだけではなく，機能的にもこの時期の免疫系の活動は活発である．

生殖器型の曲線

- 精巣，卵巣など生殖器系関連の組織・臓器の発育速度・程度を表している．
- 思春期における急激な発育の様子が見て取れる．

用語解説

*1 パーセンタイル値

集団の中における計測値の分布・バラツキの範囲を理解できるようにするための数値．通常，3，10，25，50，75，90，97 パーセンタイル値が示される．数値が 3 パーセンタイル値に相当する場合，その数値は 100 人中で小さいほうから 3 番目，10 パーセンタイル値相当であれば小さいほうから 10 番目ということになる．50 パーセンタイル値は中央値ともよばれ，100 人中 50 番目の大きさということになる．

*2 骨縫合

出生時，頭蓋骨は多くの骨に分かれている．大脳を囲む部分は 8 つの骨に分かれ，それぞれの骨と骨の間には小さな隙間があいている（2-❹）．この隙間を骨縫合とよぶ．隙間があいているおかげで，脳の容積が乳幼児期に発育・増加していく場合も，頭蓋骨によりじゃまされることがない．脳の容積の成長が終わるころには隣り合った骨同士が癒合するため，空間としての骨縫合は消失し，跡が残るのみとなる．

*3 後頭結節

後頭部の骨がやや飛び出して小さな段差を形成している部分の名称．計測の基準点に利用されている．

*4 水頭症

脳脊髄の周囲および大脳の中心部にある脳室とよばれる空間は，脳脊髄液で満たされていて常に循環している．この流れがなんらかの理由により途中でせき止められた場合，脳脊髄液が異常に多く貯留する．この状態を水頭症という．頭蓋骨の骨縫合が癒合する前に水頭症が起こると，頭囲が異常に増加することになる．

*5 小頭症

頭囲が基準値に比べ極端に小さい状態を小頭症という．原因として，大脳の先天的または後天的な異常に伴う発育障害または低形成がみられることが多い．

3章 子どもの発達

1 発達とは

- 発達とは,身体の機能的な変化・進展をさすことばである.
- 乳幼児の発達には,主に運動機能の発達と精神機能の発達がある.
- ⦿ 運動機能の発達と精神機能の発達は,脳・神経系の発達を直接反映する.
- ヒトの出生時の脳・神経系は,他の臓器に比べ,最も未熟な状態である.
- 出生後の脳・神経系の発達は,他の臓器に比べ,最も変化が顕著である.
- ⦿ 乳幼児の発達の追跡・評価は,脳・神経系の発達の評価にきわめて重要である.

2 運動発達,精神発達

原則とポイント

- おおまかな表現ではあるが,乳幼児の運動発達は,頭尾方向,すなわち頭部から体幹部,足(下肢)の方向,および中心部から末梢方向(体幹部から手足先方向)に進行する.
- 乳幼児の精神発達は,泣く→笑う→怒るの順で進行する.
- 運動発達にも精神発達にも,個人差が存在する(3-❶).
- ⦿ 発達の早い遅い(個人差)は,将来の能力の優劣とは基本的に無関

3-❶ 発達の個人差

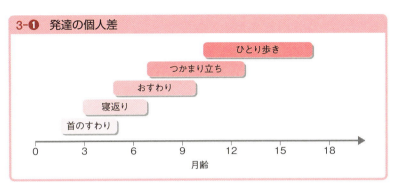

係である.

0〜2か月

運動の発達
- 生後すぐ（0か月）の新生児は，基本として常に臥位の姿勢をとる．
- 首の向きは，右向きあるいは左向きで，同じ方向を向き続けていることが多い（向きぐせ）．
- 手の指は，握った状態であることが多い．
- 手足の動きは，月齢が進むにつれ，だんだん活発になる．
- 1〜2か月ごろには，足をベッドから持ち上げて，宙で動かすことも多くなる．
- 目でものを追うことは，まだできない．
- 両目の動きのコントロールは，不完全である．両目が内側に寄ったり，逆に外側に離れたりといったことも，よくみられる．

精神の発達
- 1か月ごろまでの新生児は，泣いているか泣いていないかのいずれかである．
- 新生児・乳児の啼泣は，不快感の表現である．
- 啼泣の最も多い原因は，空腹と排泄（おむつの汚れ）であり，かゆみや眠気も，啼泣の原因となる．
- 目は，出生直後より，ある程度は見えている．

- 目と目を合わせると，しばらく見つめ続ける．
- 音は，出生直後より聞こえている．
- 音に対する反応は，まだはっきりしない．
- 新生児・乳児の様子から，音の聞こえを正確に確認するのは容易ではない．

2〜4か月

運動の発達

- 3か月過ぎ〜4か月ごろにかけて，**首がすわる**[*1]ようになる．
- 首のすわりが確実になるまでは，抱っこなど首の位置が不安定になりやすいときに，頭部から首にかけて支えるなど保護が必要である．

精神の発達

- 1か月過ぎ〜2か月ごろには，笑いがみられるようになる（3-❷）．
- 笑いは，初めのうちは周囲の状況と無関係に表れる．
- 次第に周囲に反応して笑うようになり，さらに声を出して笑うようにもなる．
- 表情は，笑いの始まりとともに，格段に豊かになる．
- 笑いは，親にとって，子育ての苦労が報われる瞬間である．
- ことばにはならないが，ことばらしい発声（喃語）がみられるようになる．

4〜6か月

運動の発達

- 5か月ごろには，手に触れたものをつかむようになる．
- 5か月ごろには，寝返りをするようになる（3-❸）．
- 寝返りは，まったくしなくても異常とはみなさない．
- 一般に，体重が軽めの乳児は容易に寝返りをし，逆に体重が重めの乳児は寝返りに力を要し，やや困難な傾向がある．
- 寝返りの始まるころには，転落事故が多くなる．

3-❷ 精神・神経の発達（2〜4か月）

1か月過ぎ〜2か月ごろには笑いがみられるようになる．

3-❸ 運動の発達（4〜6か月）

5か月ごろには，寝返りをするようになる．

- 目でものを追うこと（追視）ができるようになる．

6〜9か月

運動の発達
- 6か月ごろから，手をついておすわりができるようになる（**3-❹a**）．
- おすわりの姿勢が少しでも保てるようになったときが，おすわりの始まりである．
- 自らおすわりの姿勢をとれるようになるのは，これよりも後である．
- おすわりの始まりから，およそ1か月後には，手を離して座れるようになる．
- 6か月ごろから**はいはい**[*2]が始まる（**3-❹b**）．
- はいはいはまったくしなくても正常である．
- おすわりの姿勢で，からだを揺すりながら移動することがある．このような乳児をシャフリング・ベビーとよぶ．
- シャフリング・ベビーは正常である．
- 6か月ごろには，音のしたほうを振り向くようになる．
- このころには，視覚の外から聞こえた音に反応する様子を観察する

3-❹ 運動の発達（6〜9か月）

a　　　　　　b　　　　　　c

6か月ごろには，手をついておすわりをしたり (a)，はいはいをしたり (b)，おもちゃを手につかんで口に持っていったりする (c)．

ことで，ある程度の聴覚の確認が可能となる．
- 6か月ごろには，手を伸ばしてものをつかんだり，持ちかえたり，口に持っていくようになる（3-❹c）．
- このころから誤飲，窒息事故が多くみられるようになる．

精神の発達
- **人見知り**[*3]をするようになる．
- 人見知りとは，養育者（主に母親）以外の人が接すると，嫌がって泣き出すことである．
- 人見知りは，養育者とそれ以外の人を区別する，知恵の表れである．
- 大人に対し，相手をすることを求めるようになる．

9〜12か月

運動の発達
- 9〜10か月ごろには，つかまり立ちができるようになる（3-❺）．
- つかまり立ちとは，何かものにつかまって立った姿勢をとらせたとき，介助の手を離しても，立った姿勢をしばらくの間，保つことができることをいう．
- 自ら立ち上がって，つかまり立ちをするようになるのは，これよりも後である．

3-❺ 運動の発達（9〜12か月）

9〜10か月ごろには，つかまり立ちができるようになる．

- つかまり立ちが始まり1〜2か月すると，つたい歩きができるようになる．
- ◉つかまり立ち，つたい歩きが始まるころは，転倒して頭部をぶつける事故が目立つ時期である．
- 歩行器は，脚部にものが引っかかって転倒したときに，大けがをする危険があるため，使用は勧められない．

1〜2歳

運動の発達

- ◉1歳ごろには，ひとり立ちができるようになる．
- ひとり立ちとは，つかまり立ちの姿勢から，両手を離して立った姿勢を数秒程度保つことができることをいう．
- ひとり立ちが始まり1〜2か月すると，ひとり歩きができるようになる．
- ◉ひとり歩きが始まるころにも，転倒事故が多くなる．
- 1歳ごろには，指先でものをつまむことができるようになる．

精神の発達

- 1歳〜1歳6か月ごろには，意味のあることば（単語）を話せるようになる．たとえば，ママ，マンマ，ワンワン，ブーブー，アンパン

- マン（好きなキャラクター）などである．
- 発語は，まだ不明瞭である．
- 1歳6か月で1～2語を話せるかが，とりあえずの目安である．
- 1歳6か月で話せる単語が0であっても，2歳までに話すようになれば，通常問題はない．
- 難聴が，発語の遅れの原因となっている場合がある．発語が遅いときには聴覚異常のチェックが重要である．
- 1歳～1歳6か月ごろには，ほかの子どもに興味をもつようになる．
- 1歳6か月～2歳ごろには，ほかの子どもといっしょに，同じ遊びをするようになる．

2歳以降

運動の発達

- 2歳ごろには，走ることができるようになる．
- 2歳ごろには，手を引いて階段を昇ったり降りたりできるようになる．

精神の発達

- 2歳ごろには，**2語文**[*4]を話すことができるようになる．
- 2～3歳ごろには，子どもどうしの集団で遊ぶことができるようになる．
- 2～3歳ごろには，反抗がみられるようになる．
  - 「イヤ」といって拒絶することを覚える．
  - 「イヤ」といったときの，親のあわてる様子を楽しんでいる節もある．

3 運動発達・精神発達の評価

- 発達の程度を示す数字として，発達指数（DQ）が用いられる．
  DQ＝（発達年齢／生活年齢）×100
- 年長の児の知能の程度を示す数字として，知能指数（IQ）が用いられる．

> **3-⑥　発達検査法**
> - 遠城寺式乳幼児分析的発達検査
> - 津守式乳幼児精神発達診断法
> - デンバー（Denver はアメリカの地名）発達スクリーニングテスト　　など

3-⑦　時期別の呼吸数	
新生児	40〜50/分
乳　児	30〜40/分
幼　児	20〜30/分
学　童	18〜20/分
成　人	16〜18/分

3-⑧　時期別の心拍数	
新生児	100〜150/分
乳　児	80〜120/分
幼　児	70〜110/分
学　童	60〜100/分
成　人	60〜70/分

$$IQ = (精神年齢／生活年齢) \times 100$$

- チェックリストなど，さまざまな発達検査法（**3-⑥**）が考案されている．

4　生理機能の発達

呼吸

- 乳幼児の呼吸は，鼻呼吸である．
    - ▶口呼吸が難しいため，鼻がつまると呼吸が苦しくなる．
    - ▶ただし，鼻づまりで窒息することはほとんどない．
- 乳幼児の安静時の呼吸数は，成人に比べ多い．呼吸数は，成長とともに少なくなり，成人の値に近づいていく（**3-⑦**）．

脈拍

- 乳幼児の安静時の脈拍は，成人に比べ速い．脈拍は，成長とともに遅くなり，成人の値に近づいていく（**3-⑧**）．

免疫

後天性免疫

- 後天性免疫（獲得免疫）は，一度かかった感染症に再びかからないようにする生体内のシステムである．
- ⦿小児期に罹患する多くの感染症は，後天性免疫により予防される．ただし，後天性免疫が有効にはたらかない感染症も存在する．
- 新生児では，後天性免疫による感染防御能が，ゼロの状態からスタートする．
- 後天性免疫の主体は，Bリンパ球が産生する **IgG**[*5]である．
- 後天性免疫の獲得には，生来そなわっている先天性免疫が大きな役割を果たしている．

経胎盤免疫

- ⦿経胎盤免疫は，出生前に，胎盤を介して母親から胎児に移行する免疫である．
- 経胎盤免疫の主体は，母親の血中のIgGである．
- 経胎盤免疫のIgGは，新生児・乳児に欠けている後天性免疫の代わりをする．
- 経胎盤免疫のIgGには寿命があり，生後は時間の経過とともに崩壊が進み，減少する．
- ⦿経胎盤免疫は，生後6か月ごろまで有効である．
- 乳児は，経胎盤免疫により，生後4〜6か月ごろまでは，ほとんどかぜをひくことはなく，発熱することも少ない．

感染症罹患リスク

- ⦿生後4〜6か月以降は，病原体に曝露すると，容易に感染が成立するようになる．
- 周囲に乳幼児が大勢いる環境（たとえば保育所や幼稚園）は，感染症罹患のリスクが最も高い．

視覚

- 凝視*6 は，生後数日以内に可能となる．
- 新生児の視線の向きにこちらから目を合わせると，しばらくの間，見つめ合う感じが得られる．
- 眼球の向きのコントロールが安定するのは，生後4か月ごろである．
- 生後4か月ごろまでは，左右の眼球が寄ったり，あるいは離れたりといったさまざまな動きがみられるが，異常ではない．
- 生後5か月ごろには，**追視**＊7 が可能となる．
- 追視を観察できれば，ある程度の視覚があることを確認できる．

聴覚

- 出生直後の新生児は，すでに音は聞こえている．ただし，音が聞こえることの確認は，意外と難しい．
- 音に対する反応を観察することで，間接的に耳の聞こえを察知できる．
- 新生児期には，**瞬目反射**＊8 を観察できれば，耳の聞こえをある程度確認できる．
- 生後3か月ごろには，音のするほうに首を向けるようになるため，これを観察すれば，耳の聞こえをある程度確認できる．
- 新生児の聴覚を，客観的に測定する方法には，**聴性脳幹反応**＊9 あるいは**耳音響放射**＊10 を利用した，機器による測定法がある．
- 新生児のおよそ1,000人に1人は，先天性難聴である．
- 先天性難聴の児の多くは，補聴器の使用により，適切な音刺激を得られるようになる．
- 先天性難聴の児は，1歳までに補聴器の使用を開始することが理想である．
- 難聴の発見が遅れ，補聴器の使用が3歳以降になると，正常な発語能力の獲得はきわめて困難となる．
- 言語の習得には，適正な時期がある．

- 発語能力獲得のためには，生後早期より，音刺激（ことば）が耳から入っていることが必須の条件である．

睡眠

- 生後しばらくの間は，昼夜のリズムはまったくない．
- 6か月ごろから1歳過ぎにかけて，しだいに昼夜のリズムが完成されていく．
- 健全な昼夜のリズムを形成するためには，家の中でも日中は明るく，日没後は暗く静かな環境をつくり出せるよう，周囲で努力する必要がある．
- 睡眠にはサイクルがあり，深い睡眠の時間帯と浅い睡眠の時間帯（**レム睡眠**[*11]）が交互に訪れる．
- 乳幼児では，レム睡眠は40～50分に1回の間隔で訪れる．
- レム睡眠時の脳の活動状態は，覚醒時に近い．
- レム睡眠時には，眼球だけでなく，さまざまな身体の動きがみられたり，夜泣きがみられたりする．
- 夢をみるのは，レム睡眠の時間帯である．
- 乳幼児では，レム睡眠のときに身体の動きが激しくなることがある．

用語解説

*1 **首がすわる**

身体をすわった位置からある程度後ろに傾けても，首の位置を自ら垂直方向に保ち，簡単に後ろにぐらつかなくなることをいう．頸定ともよばれる．

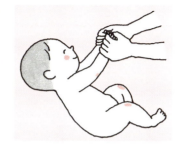

*2 **はいはい**

はいはいには，さまざまなバリエーションがある．
- バックするはいはい
- ほふく前進（泳ぐようなかたち）のはいはい
- 片手片足で進むはいはい

*3 **人見知り**

人見知りをしない乳児もいる．しかし，人見知りをしないことは，知能が劣ることを示すわけではない．

*4 **2語文**

単語2個をつなぐかたちの簡単な文章のこと．「パパ　カイシャ」「ブーブー　キタ」など．

*5 **IgG**

免疫グロブリン（感染防止のはたらきを発揮する血液中のタンパク質）の一種．病原体の種類ごとに，はじめての感染を経験するたびに，その病原体専門のIgGがつくられるようになる．ほかにIgA，IgE，IgM，IgDがある．

*6 **凝視（または固視）**

一定方向を見つめ続けること．

***7 追視**

相手の動きに合わせて，眼球の位置を動かして目で追うこと．

***8 瞬目反射（しゅんもくはんしゃ）**

音がしたときに目をつむる反射的な動作のこと．

***9 聴性脳幹反応**

音に反応して神経系で発生する電気活動（脳波）のこと．

***10 耳音響放射**

音に反応して内耳で発生する小さな音のこと．

***11 レム睡眠**

浅い睡眠の時間帯のことをレム（REM）睡眠とよぶ．
REMとは，rapid eye movement（眼球の速い動き）の略で，眼球の速い動きがみられることから，この名前がつけられた．

4章 子どもの栄養

1 子どもの栄養の特徴

- ⦿子どもの栄養には，大きく分けて2つの意義がある．
    ① 身体を維持する
    ② 身体をつくる
- ①の意義は，成人と子どもに共通であるが，②の意義は子ども特有である．
- ②の意義をわれわれ大人は忘れがちであるが，これは子どもにとってきわめて重要である．

2 母乳栄養

- ⦿現代では，可能な限り母乳栄養を中心に行うことが，世界的に推奨されている（4-❶）．
    ▶過去には，人工乳による栄養法がもてはやされた時代もあった．
- 授乳期の栄養方法のうち，母乳栄養のみは0か月の時点では約50％である．以前は月齢が進むに従い減少傾向がみられたが，近年はほぼ50％の状態が5か月ごろまで持続するようになっている（4-❷）．

母乳栄養の長所

- 母乳は，常に新鮮で適温である．
- 適切な栄養を，適切な時期に乳児に与えられる．

4 子どもの栄養

4-❶ 母乳育児を成功させるための 10 か条

1. 母乳育児推進の方針を文書にして，すべての関係職員がいつでも確認できるようにしましょう．
2. この方針を実施するうえで必要な知識と技術を，すべての関係職員に指導しましょう．
3. すべての妊婦さんに，母乳で育てる利点とその方法を教えましょう．
4. お母さんを助けて，分娩後30分以内に赤ちゃんに母乳をあげられるようにしましょう．
5. 母乳の飲ませ方をお母さんに実地で指導しましょう．もし，赤ちゃんをお母さんから離して収容しなければならない場合には，母乳の分泌維持の方法を教えましょう．
6. 医学的に必要でない限り，新生児には母乳以外の栄養や水分を与えないようにしましょう．
7. お母さんと赤ちゃんが一緒にいられるように，終日，母子同室を実施しましょう．
8. 赤ちゃんが欲しがるときには，いつまでもお母さんが母乳を飲ませてあげられるようにしましょう．
9. 母乳で育てている赤ちゃんに，ゴムの乳首やおしゃぶりを与えないようにしましょう．
10. 母乳で育てるお母さんのための支援グループづくりを助け，お母さんが退院するときにそれらのグループを紹介しましょう．

（WHO/UNICEF, 1989）

4-❷ 一般調査による月齢別，出生年次別母乳栄養の割合（%）

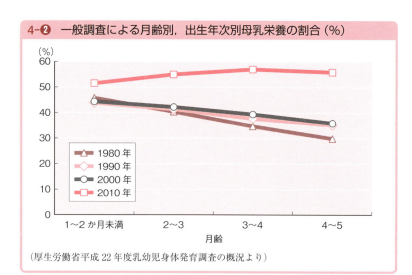

（厚生労働省平成22年度乳幼児身体発育調査の概況より）

- 感染予防効果をもつタンパク質（**分泌型 IgA**[*1]，**ラクトフェリン**[*2]，**リゾチーム**[*3] など）を含む．
- 母親と乳児が直接触れ合うことができる．
- 経済的である（とくに発展途上国では重要）．

母乳栄養の短所

- ビタミンKの含有が少ない．
- 乳房の管理に手間がかかる．

初乳と成熟乳

- 出産後，最初に出てくる母乳を初乳という．
- 初乳は，出産後約10日ほどで，移行乳を経て成熟乳に変わる．
- 初乳は成熟乳と比べ，タンパク質や塩類（ナトリウム，カリウム），ラクトフェリン，リゾチーム，分泌型IgAの濃度が高い．
- 初乳は成熟乳と比べ，糖質や脂質の濃度が低い．
- 初乳の外見は黄色みが強い．
- 初乳は，生後間もない新生児が飲むのに適した組成の母乳である．

このようなときは母乳不足を疑う

- 乳児が，乳首をなかなか離そうとしないとき（とくに30分以上）．
- 授乳間隔が短く，1日の授乳回数が多いとき（とくに1日10回以上）．
- 乳児の体重増加率が悪いとき（とくに，生後4か月以内で月平均増加量が500g未満）．

母親の感染症と母乳

- 母親が通常の感冒（かぜ）にかかったときも，母乳の授乳を中止する必要はない．
  ▶ 咳などの飛沫感染による感染経路に比べ，母乳を介した感染は影響が圧倒的に少ないからである．
- 母親がHIV[*4] 感染症に罹患している場合など，感染症の種類によ

っては母乳を介して乳児に感染する可能性がある．このため，母乳の授乳を禁止されることがある．

母親の内服薬と母乳

- 薬の種類によっては，母親が内服した薬が母乳中に高い濃度で出てくる場合がある．
- 授乳中は，可能な限り，薬の内服を避けるべきである．
- 授乳中に薬の内服が必要な場合には，医師と相談する必要がある．
    - ▶ 薬の種類を変更することで，授乳が可能となる場合がある．
    - ▶ 授乳可能な薬が選択できず，かつその薬の内服が必須である場合は，母乳の授乳が禁止される．

3 粉乳による栄養

乳児用調製粉乳

- 人工乳，粉ミルク，あるいは単にミルクとよばれることもある．
- ⦿ 基本的には，乳児に与える母乳が不足している際に，代替用に使用される．
- 成分が母乳に近くなるよう，牛乳を加工してつくられた粉乳である．
- **乳児用調製粉乳**＊5 は，母乳の代替用のもののほかに，病気の治療など，特殊な目的に合わせてつくられた特殊ミルクがある（4-❸）．

調乳法

- 哺乳瓶と乳首は毎回必ず消毒する．
    - ▶ ミルクは細菌やカビにとって最適な生育環境である．
- 調乳は，必ず1回分ずつ湯で溶解する．
- 調乳に使う湯の温度は，70℃以上が**適温**＊6 である．
- ⦿ ミルクを溶解する濃度は製品の指示通りとし，勝手に薄めたり濃くしたりしてはいけない．

4-❸ 特殊ミルク

種類	特徴・目的
大豆乳	・牛乳の代わりに大豆（豆乳）を使ったミルク ・乳糖を含まない
ペプチドミルク	・牛乳のタンパク質をペプチドまで分解したミルク ・アレルギー用*
アミノ酸乳	・牛乳のタンパク質をアミノ酸に置き換えたミルク ・アレルギー用*
フォローアップミルク	9か月以降の乳児の栄養を考慮したミルク
低出生体重児用ミルク	医療機関で使用
その他	病気ごとに治療用ミルクが開発され，医療機関に供給されている

＊：牛乳のタンパク質は母乳のものと同じではないため，アレルギーを起こす場合がある．

- 薄めたミルクを飲ませ続けていると，血液中のナトリウム濃度が低下し，けいれんの原因となることがある．

授乳法

- 調乳直後のミルクは熱いため，冷水で人肌くらいまでさましてから授乳する．
- 与えるミルクの量は，基本的に母乳と同様，乳児が飲むだけ与えてよい．
- 飲み残したミルクは廃棄する．

4 混合栄養

- 母乳の出が不十分で，母乳だけでは栄養が不足する場合は，母乳とミルクを併用する．これを混合栄養とよぶ．
- 母乳を与える時間は，左右合わせて20分以内を目安とする．これ以上長時間吸啜（きゅうてつ）させても，母乳の分泌はわずかであるため，児は疲弊し，引き続きミルクの授乳が十分できなくなる場合もある．
- 混合栄養の場合，まず最初に母乳を与え，その後，不足分をミルクで補う．

4 子どもの栄養

> ▶ 母乳とミルクを1回ごとに交互で与える方法もある．

- 混合栄養の場合も，基本は**自律授乳**[*7]であり，ミルクは乳児が飲むだけ与えてよい．

5 離乳食

開始時間・期間

- 母乳は完全な栄養であるため，6か月までは，何も追加する必要はない．
- 6か月以降は，母乳だけでは栄養に偏りが生じるようになるため，母乳以外の食品の摂取が必要になる．
- 離乳食は5〜6か月ごろから開始し，1歳〜1歳6か月ごろに終了するのを目安とする（4-❹，4-❺）．

咀嚼の開始

- 母乳または人工乳による栄養は，吸いながら（吸啜）飲み込む（嚥下）ことで行われ，基本的には丸呑みの連続である．
- 離乳食では，徐々に固形物の比率を高めることで，飲み込むこと以外に，噛む（咀嚼）機能を育てることを目指す．
- 本格的な咀嚼には**奥歯（臼歯）**[*8]の存在が必須である．
- 離乳食を与える6か月から1歳過ぎころは，前歯（切歯）が生えそろう時期で，奥歯（臼歯）はまだほとんど出ていない．したがって，この時期に本格的な咀嚼は期待できない．

調理法

- 離乳食の調理にあたっては，児の咀嚼力を考慮する必要がある．
- 離乳食に使用する食品は，米やニンジンなどの一般的な野菜から開始して徐々に種類を増やすようにし，急にいろいろな種類の食品を与えない．
- 鶏卵の開始は，7〜9か月ごろを目安に，卵黄から開始し，次に卵

4-❹ 離乳食の進め方の目安

離乳の開始 → 離乳の完了

	生後	5～6か月ごろ	7～8か月ごろ	9～11か月ごろ	12～18か月ごろ
●食べ方の目安		・子どもの様子を見ながら，1日1回1さじずつ始める． ・母乳やミルクは飲みたいだけ与える．	・1日2回食で，食事のリズムをつけていく． ・いろいろな味や舌ざわりを楽しめるように，食品の種類を増やしていく．	・食事のリズムを大切に，1日3回食に進めていく． ・家族一緒に楽しい食卓体験を．	・1日3回の食事のリズムを大切に，生活リズムを整える． ・自分で食べる楽しみを手づかみ食べから始める．

●食事の目安					
	調理形態	なめらかにすりつぶした状態	舌でつぶせる固さ	歯ぐきでつぶせる固さ	歯ぐきで噛める固さ
1回あたりの目安量	Ⅰ 穀類(g)	・つぶしがゆから始める． ・すりつぶした野菜なども試してみる． ・慣れてきたら，つぶした豆腐・白身魚などを試してみる．	全がゆ 50～80	全がゆ90～軟飯80	軟飯90～ご飯80
	Ⅱ 野菜・果物(g)		20～30	30～40	40～50
	Ⅲ 魚(g)		10～15	15	15～20
	または肉(g)		10～15	15	15～20
	または豆腐(g)		30～40	45	50～55
	または卵(個)		卵黄1～全卵1/3	全卵1/2	全卵1/2～2/3
	または乳製品(g)		50～70	80	100

上記の量は，あくまでも目安であり，子どもの食欲や成長・発達の状況に合わせて，食事の量を調整する．

●成長の目安　成長曲線のグラフに，体重や身長を記入して，成長曲線のカーブに沿っているかどうかを確認する．

(厚生労働省．授乳・離乳の支援ガイド．2007)

4 子どもの栄養

4-❺ 一般調査による年・月齢別離乳状況の割合（％）

（厚生労働省平成22年度乳幼児身体発育調査の概況より）

白に移る．また，十分に火の通ったものを最初は与えるようにする．
- 魚肉を与え始めるときは，白身魚を使用する．
- 食品の硬さは，ペースト状のものから始め，徐々に形のあるものを与えていく．
  ▶ ただし，まだ歯を使ってかみ砕くことは無理なので，火のよく通った柔

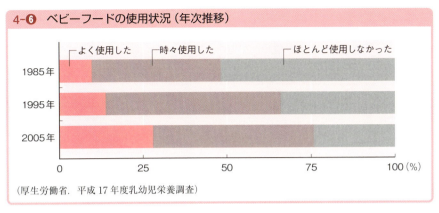

図4-❻ ベビーフードの使用状況（年次推移）

（厚生労働省．平成17年度乳幼児栄養調査）

らかなものを与えるようにする．
- 離乳食の準備には時間を要するので，状況に応じ，適宜既製のベビーフードを利用するのもよい（4-❻）．
- ベビーフードを利用する場合，栄養のバランスも考え，手製の離乳食と併用するとよい．

分量

- ◉ 離乳食の回数は1日1回より開始し，2回，3回と徐々に増やしていく．
- 離乳食の量は個人差が大きい．もし，よく食べるようであれば，児の食欲に任せて量を増やしても問題はない．
- 離乳食をたくさん食べるようになれば，母乳または人工乳の量は自然と減っていく．
- ◉ 母乳や人工乳の摂取量が減ると，水分の摂取不足が起こる場合があるので注意する．
- 離乳食の量があまり増えない場合，意図的に母乳や人工乳の量を減らす必要はない．あくまでも，児が離乳食を十分量食べられるようになるのを待つべきである．

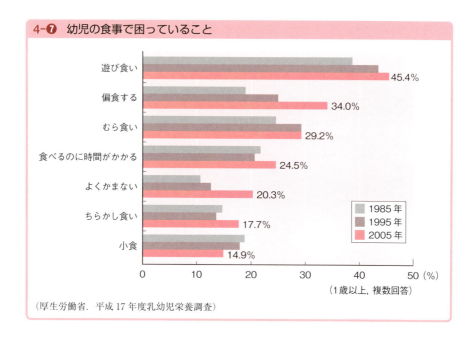

4-❼ 幼児の食事で困っていること

(厚生労働省．平成17年度乳幼児栄養調査)

環境

- 明るく楽しい雰囲気で，食事を摂れるよう努めることは重要である．
- 家族そろって食事を摂れるよう努める．

6 幼児の食事

- 1歳以上の幼児の食事で困っていることをたずねたアンケートでは，遊び食い，偏食，むら食いなどが多くあがっていた（4-❼）．
- 4-❼の問題は，1〜2歳児の食事の様子として，ほぼ日常的なことと考えられる．母親の期待とのギャップが数字に表れているのであろう．

7 間食

- ⦿幼児期には活動量が増え,エネルギーの必要量も増えるので,1日1～2回の間食(おやつ)が必要である.
- ●おやつとして菓子など甘いものを与えるときは,決められた量で決められた時間に摂取させるようにする.
- ●乳幼児にとって,おいしいものは甘いものである.
- ●児の要求に任せて際限なく甘いものを与えていくことは,将来の肥満を引き起こす原因となる.
- ⦿甘いものの摂取には,制限が必要である.
- ●甘いものには菓子類やジュース類のほかに,甘い果物も含まれる.

用語解説

*1 分泌型 IgA

免疫グロブリンの一種．腸管内に分泌されて粘膜にとどまり，腸管から侵入する病原体から守るはたらきがある．

*2 ラクトフェリン

鉄と結合し鉄を必要とする細菌から鉄を奪うことで抗菌作用を発揮するタンパク質の一種．免疫力を高める．

*3 リゾチーム

母乳中のタンパク質の一種．細菌の外壁（細胞壁）を溶解し，新生児を大腸菌やサルモネラ菌から守るはたらきがある．

*4 HIV

ヒト免疫不全ウイルス（human immunodeficiency virus）．感染すると徐々に免疫力が低下し，治療しないでおくとAIDS（エイズ；後天性免疫不全症候群）を発症する．

*5 乳児用調製粉乳

- 牛乳を主な原料とする乳児用のミルク．
- タンパク質の組成と含有量を母乳に近づけている．
- 不飽和脂肪酸の多い牛乳の脂肪を，リノール酸などの飽和脂肪酸に置換して，脂肪酸の組成を母乳に近づけている．
- ミネラルの濃度を母乳に近づけ，ビタミンの含有量が調整されている．

*6 調乳に使う湯の温度

- 湯の温度が70℃未満だと，細菌を排除できない可能性があり，不適切である．
- 70℃より高い湯を使用するが，操作を誤った際にやけどをする危険性が高いため注意が必要である．

*7 自律授乳

乳児が欲しがるとき（泣いたとき）に，欲しがるだけ母乳を飲ませる授乳方法．

*8 奥歯（臼歯）

- 臼歯が生えそろってくるのは，1〜3歳ごろである．

5章 生活と健康

1 体温

- ⊙体温には，皮膚温と深部体温がある（5-❶）．
- 真の体温は，深部体温である．
- 通常の体温測定で使う腋窩計は，皮膚温を測定している．
- 皮膚温は，皮膚周囲の環境温（気温）の影響を受ける．
  ▶通常の環境では，皮膚温は深部体温よりも多少低くなる．

5-❶ 皮膚温と深部体温

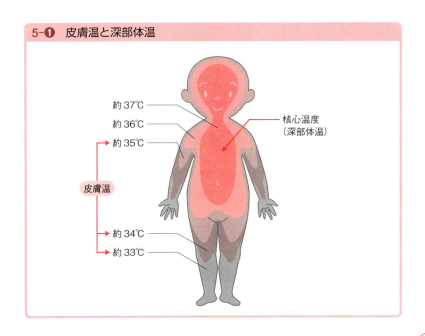

- 身体が小さいほど，同じ環境温下での皮膚温の低下の程度は大きくなる．
    ▶ 体格の小さな乳幼児ほど，手足の先は簡単に冷たくなる．
- ⊙ 体温には，日内変動がある．
- 通常，体温の日内変動は**1℃未満**である．
- 1日のなかで，体温は午前4～6時ごろ最低となり，午後2～6時ごろ最高となる．
- 発熱時も，体温の日内変動の影響を受けることが多い．
    ▶ 早朝に解熱したようにみえても，体温が午後になって再上昇するという現象は，よくみられる．

2 冷暖房

- 現代の日本の住環境は，昔とは異なり気密性が高く，基本的に冷暖房器具の使用が不可欠である．
- ⊙ 同じ環境温では，乳幼児は大人より容易に熱を奪われる．

エアコンの使用

- エアコンの使用は問題ないが，使い方には注意が必要である．
- 夏の冷房は，弱めに設定する．
    ▶ 大人が快適な環境は，乳幼児にとっては気温が低すぎる可能性がある．
- 冬の暖房は，やや暖かめに設定する．
    ▶ 衣服，靴下，手袋などで調節してもよい．
    ▶ 暖めすぎはうつ熱を起こし，発熱の原因となることがあるので，注意が必要である．
- エアコンの温度設定を，過信してはいけない．
    ▶ 実際の気温は，設定した温度になっていないことが多い．
    ▶ 皮膚温は，実際に自分の手で触れ，温度を感じて確認することが重要である．

冷暖房器具使用の注意点

- エアコンや扇風機の風を，乳幼児に直接当ててはいけない．
  - 扇風機の風であっても，乳幼児は低体温を引き起こし，命にかかわることすらある．
- **低温やけどは重症化しやすいため，決して起こさないよう注意する．**
- 湯たんぽやホットカーペットなど，それほど高温にはならない暖房器具が，低温やけどの原因となる．
  - このような暖房器具は，自身で器具の調節ができない乳幼児への使用は不向きである．

3 水分補給

- 新生児の身体の 80 %，大人の身体の 60 %は水でできている．
- 「水分」には，水と**電解質**[*1]が含まれる．
- とくに乳幼児は，水分の代謝（入れ替わり）が早い．
  - 乳幼児は腎臓の制御能力が未成熟であるため，水分不足の状態であっても，水分を尿から失いやすい．
  - 乳幼児は身体の大きさの割に発汗量が多く，水分を失いやすい．
  - 乳幼児はふだん，身体の大きさの割に多い水分喪失を，口からの十分な水分補給で補い，バランスをとっている．

嘔吐や下痢の際の対応

- 嘔吐や下痢は，乳幼児の変化しやすい水分バランスを狂わせ，脱水の原因となる．
- **嘔吐や下痢を起こしたときに適切な水分補給を行うことは，乳幼児の健康維持にきわめて重要である．**
- 水分補給には，ナトリウムなどの電解質を含む経口補液水が最適である（p.85 参照）．
  - 電解質の濃度が調整された乳幼児用の経口補液水が，最も望ましい．

4 便, おむつ

便の特徴

- 便は, 基本的に食べたものからつくられる.
- 離乳食開始前の乳児の便は, 母乳または人工乳からつくられる.
- 乳児の便の性状は, 形はあるものの水っぽく, 大人の便から考えると下痢便に近い.
- 乳児の便の色は, 胆汁そのものの色で, 黄色ないし緑色である.
- ⦿ 便の色で問題となるのは, 赤（血液の混入）と白（胆汁の欠如）である.
- 母乳栄養児の便は, 酸っぱいにおいがする.
- 乳児は腸内細菌がビフィズス菌のため, 便は酸性に保たれている.
    - ▶ 酸性の環境は, 腸内への大腸菌の侵入を防ぐ.
    - ▶ 大腸菌は, 大人では通常無害だが, 新生児や早期乳児ではしばしば病気の原因となる.
- ⦿ 下痢では, 便の性状（硬さ）と回数の両方が変化する.
    - ▶ 下痢の便は軟らかく, 形を成さなくなり, 1日の排便回数が増加する.
    - ▶ 血液の混ざる下痢は, 細菌性胃腸炎の可能性が高く, 注意が必要である.

おむつの使用

- ⦿ おむつには, 布製と紙製があり, それぞれの特徴を理解して使い分ける必要がある（5-❷）.
- おむつかぶれとは, 排泄物の刺激が直接皮膚へ加わって起こる皮膚

5-❷ 布おむつと紙おむつの利点

布おむつの利点	紙おむつの利点
1. 経済的である.	1. 手間がかからず, 使いやすい.
2. ゴミを増やさず, 環境によい.	2. 軽くかさばらず, 携帯しやすい.
3. 肌触りがよい.	3. 吸湿性が高い.

炎をいう．
- おむつかぶれを防ぐためには，おむつ交換をまめに行うのがよい．

5 睡眠，夜泣き

昼夜のリズム

- 出生直後の新生児には，昼夜のリズムはない．
- よい昼夜のリズムを確立するためには，日没後は明かりを落とし，静かな環境をつくることが大切である．

睡眠時の姿勢

- ⦿ 乳児，とくに寝返りがまだできない乳児は，仰向けの姿勢で寝かせるべきである．
- 乳児をうつぶせの姿勢で寝かせると，**乳幼児突然死症候群**[*2]の発症頻度が増加するため，うつぶせ寝は禁止されている．

夜泣き

- 夜泣きとは，乳幼児が，夜間に突然泣き出す現象で，とくに空腹やおむつの汚れ以外が原因のものをいう．
- 夜泣きは，しばしば親を不安に陥れる．
  ▶ 夜泣きの原因はさまざまであるが，特定は難しい．
  ▶ 日本では，このような原因のわからない夜泣きを「疳の虫」とよび，想像上のお腹の虫が原因とされてきた．西洋では「コリック（colic：腹痛）」とよばれ，お腹の痛みが原因とされている．
- 夜泣きの原因の多くは，病気とは無関係と考えられる．

6 日光浴・外気浴

- 日光浴とは，太陽の光を直接的・間接的に浴びることである．
- 外気浴とは，戸外の風に当たることである．
- 日光浴と外気浴は，その意味合いは異なるものの，実質的には，ほ

ぼ同一と考えてよい．
▶ 健康上，とくに重要なのは，適度な日光浴である．
- 日光浴は，骨をつくるはたらきをもつビタミンDの活性化に不可欠である．
- 乳児の日光浴では，直射日光に当たる必要はなく，間接的な日光浴で十分である．
- 過度の日光浴は，皮膚がんの危険性を増加させるため，有害である．
- ただし，皮膚がんの危険性を強調しすぎると，日光浴の不足からビタミンDの活性化が不十分になり，**くる病**[*3]の危険が増加するため，注意が必要である．
- 乳児は大人と比べ，簡単に，短時間で日焼けをする．
- 乳児の日光浴では，直射日光を当てない，着るものや時間で調節するといった配慮が重要である．
- 乳児の日光浴では，環境の調節を行うことがまず第一で，日焼け止めクリームの使用は補助的に考える．

7 入浴

- 入浴の習慣は，国により異なる．
- 日本式の深い浴槽は，世界的には珍しい．
- 日本のほぼ毎日入浴する習慣も，世界共通のものではない．
- 浴槽での乳幼児の溺水事故は，日本で目立って多い．
- 日本では，風呂場での事故予防対策は重要である．
- 発熱時の入浴は，避けたほうがよい．
  ▶ 入浴により，体温がさらに上昇する危険性がある．
  ▶ 入浴により，体力を消耗する危険がある．

8 歯磨き

- 歯磨きの開始時期のめどは，1歳前後である．
- 1歳ごろまでは，食後・授乳後に口の中をガーゼで拭く，あるいは白湯を含ませる程度で十分である．

> **5-❸　子どもの遊びの作用**
>
> 1. 正常な運動発達を助ける．
> 2. 感覚・知覚器官の感受性を向上させる．
> 3. 知的能力の発達を促す．
> 4. 社会性の発達を促す．
> 5. 心を癒す．

- 基本的に，前歯（切歯）は虫歯になりにくい．
- ◉歯磨きの開始時にまず行うことは，口の中に歯ブラシを入れることに慣れさせることである．
- 口の中に棒を突っ込むことは，乳幼児にとっては恐怖を伴う．
- 歯ブラシを怖がらせないよう，最初は遊びの延長で行う．
- 歯ブラシに慣れてきたら，徐々に歯磨きに移るようにする．
- ◉虫歯予防には歯磨きも重要であるが，甘いものの摂取を控えることは，さらに重要である．

9 遊び

- 子どもの遊びは，発達上，必要不可欠なものである．
    - ▶大人の遊びとは意義がまったく異なる．
- ◉子どもの遊びには，5-❸のような作用がある．
- 子どもの遊びは，人生の学校であり，人間としての基礎をつくる．
- 乳幼児は遊びを通して，いわゆる幼児教育よりも重要な内容を身につけている．
- ◉遊びの内容は，子どもの発達段階に応じて，1人の遊びから，友達と一緒の遊びへと変化していく．
- 「大人のまね」は，子どもの遊び全体の大きなテーマである．

10 外出

- 乳児期の外出では，可能な限り，人混みを避ける．
    - ▶いわゆる「かぜ」の病原体は，必ず他人，とくに子どもからうつったもの

である．
- ◉外出時には，事故を予想し，予防を心がける．
- ●6歳未満の乳幼児が車に乗る際には，正しく設置されたチャイルドシートを必ず着用する．
- ●交通事故は，路上のみならず，庭や駐車場など，意外な場所でも多く発生している．

用語解説

*1 **電解質**

水に溶けて陽（＋）イオンや陰（－）イオンとなる物質を電解質とよぶ．血液中の主な電解質には，ナトリウム（Na^+），カリウム（K^+），カルシウム（Ca^{2+}），クロール（Cl^-）などがある．

*2 **乳幼児突然死症候群**

「それまでの健康状態および既往歴からその死亡が予測できず，しかも死亡状況調査および解剖検査によってもその原因が同定されない，原則として1歳未満の児に突然の死をもたらした症候群」と定義されている．日本では出生約6,000～7,000人に1人で発症している．ほとんどは6か月未満である．原因は不明である．危険因子として非母乳栄養，低出生体重児，両親の喫煙，うつぶせ寝があげられている．

*3 **くる病**

ビタミンDの摂取不足や活性化ビタミンDの欠乏で起こる病気．骨の石灰化が障害され，骨の変形をきたし，不きげんや疲れやすさなどの症状がみられることもある．

6章 子どもの事故とその予防

1 子どもの事故の特徴

- ⦿ 現在の日本における，子ども（1〜9，15〜19歳）の死因の第2位は，「不慮の事故」である（6-❶）．
- ● 1960〜2005年までの約45年間，子ども（1〜4歳）の死因の第1位は「不慮の事故」であった（6-❷）．
- ● 子どもの事故は，運動発達の段階と関連が深い（3-❶参照）．

6-❶ 子どもの死因および死亡率（2014年）

	1位（死亡率）*	2位（死亡率）	3位（死亡率）	4位（死亡率）	5位（死亡率）
0歳	先天奇形，変形および染色体異常（74.8）	周産期に特異的な呼吸障害等（26.0）	乳幼児突然死症候群（14.5）	不慮の事故（7.8）	胎児および新生児の出血性障害および血液障害（6.3）
1〜4歳	先天奇形，変形および染色体異常（3.5）	不慮の事故（2.7）	悪性新生物（2.1）	肺炎（1.3）	心疾患（1.0）
5〜9歳	悪性新生物（2.0）	不慮の事故（1.9）	先天奇形，変形および染色体異常（0.7）	その他の新生物（0.4）	心疾患（0.4）
10〜14歳	悪性新生物（1.8）	自殺（1.8）	不慮の事故（1.5）	心疾患（0.5）	先天奇形，変形および染色体異常（0.4）
15〜19歳	自殺（7.3）	不慮の事故（5.3）	悪性新生物（2.4）	心疾患（1.0）	先天奇形，変形および染色体異常（0.5）

*該当する年齢層の人口10万人あたりの死亡数の割合．
（財団法人母子保健衛生研究会．母子保健の主なる統計　平成27年度．母子保健事業団．2015より）

6-❷ 1〜4歳の死因順位別死因および死亡率（1960〜2010年）

	1位（死亡率）	2位（死亡率）	3位（死亡率）	4位（死亡率）	5位（死亡率）
1960年	不慮の事故（69.3）	肺炎および気管支炎（39.4）	胃炎, 十二指腸炎, 腸炎および大腸炎（26.8）	赤痢（15.8）	麻疹（9.5）
1970年	不慮の事故（45.7）	先天異常（11.5）	肺炎および気管支炎（11.5）	悪性新生物（7.8）	胃腸炎（3.9）
1980年	不慮の事故および有害作用（24.3）	先天異常（10.1）	悪性新生物（5.9）	肺炎および気管支炎（4.4）	心疾患（2.7）
1990年	不慮の事故および有害作用（13.8）	先天異常（8.6）	悪性新生物（3.3）	心疾患（3.0）	中枢神経系の非炎症性疾患（2.8）
2000年	不慮の事故（6.6）	先天奇形, 変形および染色体異常（5.3）	悪性新生物（2.5）	肺炎（1.9）	心疾患（1.7）
2005年	不慮の事故（5.2）	先天奇形, 変形および染色体異常（4.1）	悪性新生物（2.2）	肺炎（1.6）	心疾患（1.3）
2010年	先天奇形, 変形および染色体異常（3.8）	不慮の事故（3.6）	悪性新生物（2.0）	肺炎（1.7）	心疾患（1.4）

人口10万人対の人数.
（財団法人母子保健衛生研究会. 母子保健の主なる統計　平成20年度. 母子保健事業団. 2011より）

- 運動発達とは，昨日までできなかったことが，今日突然できるようになるということである．
- 乳幼児の新たな運動機能の獲得が，新たな事故発生の契機となることは，しばしば経験される．
- 事故は，予防が可能である．
- 事故予防策には，運動発達を考慮に入れることが重要である．

2 窒息

- のどにものを詰めて呼吸ができなくなる窒息事故（6-❸）は，乳児

6-❸ 窒息事故

　が手でものをつかみ，口に持っていくことが始まる5～6か月以降，急激に発生件数が増加する．
- ⦿ 窒息事故の予防のためには，ふだんから，口の中に入るような小さなものを，乳幼児の手が届く範囲に置かないよう気をつけることが重要である．
  - ▶ 口の中に入る大きさとは，およそ直径39 mm，高さ51 mmの円筒形に完全に入ってしまう大きさである．その大きさを確認する誤飲チェッカー（6-❹）が販売されている．
- ● 窒息につながる小さなものは，おもちゃ類，硬貨のほか，食品ではこんにゃくゼリー，ピーナッツなどの豆類，プチトマトや皮のついたブドウなど，さまざまである．
- ● 乳児の手の届く範囲は，はいはいが始まると家の床や畳の上全体となり，つかまり立ちが始まると高さ1 mまでの机の上も含まれる．
- ● たとえ家庭内であっても，乳幼児が窒息事故を起こさないように，親が常時気をつける，あるいは見張ることは不可能である．
  - ▶ 窒息事故などの小児の事故を，親の不注意のせいにしてはいけない．
- ⦿ 窒息事故は親の注意では減らせないため，事前にその予防策を講じることが大切である．

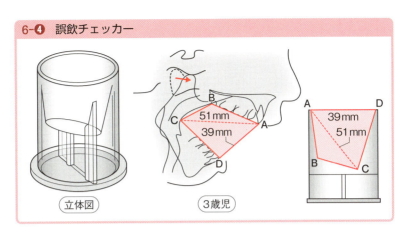

6-❹ 誤飲チェッカー

立体図　　3歳児

6-❺ 誤飲事故

3 誤飲

- ⦿口に持っていったものを，そのまま飲み込む（食べてしまう）誤飲事故（6-❺）は，窒息事故と同様，5〜6か月以降に発生件数が急増する．
- ●誤飲したものが異物として障害の原因となるものには，リチウム電池などのボタン型電池，硬貨，針やピン，おもちゃなど，いろいろある．
- ●誤飲したものが薬物・薬品として作用し，粘膜を障害したり，吸収

6-❻ 転落事故

されて中毒症状を引き起こしたりするものには，大人用に処方された錠剤（降圧薬，血糖降下薬など），洗剤，漂白剤，シャンプー類，掃除用洗剤，化粧品，たばこの吸い殻などがある．
- 誤飲事故の予防のためには，ふだんから，誤飲すると危険なものを，乳幼児の手の届く範囲に置かないよう気をつけることが，最も重要である．

4 転倒・転落

転倒

- 家の中で段差のある場所（玄関，敷居，浴室など）では，転倒事故が起こりやすい．
- 歩行器は，段差のある場所で転倒事故を起こしやすく，しかも重傷化しやすいため，使用は危険である．

転落

- ちょっとの時間のつもりで，ソファーやベッドの上に寝かせておいた乳児が転げ落ちる転落事故（6-❻）は，寝返りができるようになる5か月ごろから増加する．

- ⦿ベッドに乳児を寝かせるときには，必ず転落防止用の柵を上げておくことが大切である．
- ●たとえ一時的であっても，ソファーやテーブルをベッド代わりにして寝かせることは，事故予防の観点から危険であり，避けなければならない．
- ●高層マンションのベランダ，出窓などからの転落事故も多い．
- ●ベランダや窓に転落防止用の柵があっても，ベランダや窓ぎわに置いてある箱などを踏み台にしてよじ登り，転落事故が発生している．
- ⦿ベランダに，乳幼児が1人で絶対に出られないような工夫が必要である．

5 溺水

- ⦿日本において，乳幼児の溺水が最も多い場所は，川や海ではなく，家庭の浴室である．
- ●2～3歳以降，外で1人で遊ぶ機会が増えてくると，用水路，河川，池，海などの自然界での溺水事故も増えてくる．
- ⦿日本の浴槽は，他国と比べきわめて深く，かつ毎日のように入浴する習慣があるため，乳幼児の浴槽での溺水事故が目立って多い．
- ●乳幼児が1人で浴室に入り遊んでいるうちに，足を踏みはずして湯の入った浴槽に落ち，溺水事故となることが多い（6-❼）．
- ●親と一緒に入浴している最中にも，溺水事故が発生している．
- ●節水目的の浴槽の残し湯が，浴室を乳幼児にとってさらに危険な場所にしている．
- ●浴槽以外でも，家庭の洗濯機，洗面器，ポリバケツなどにためてある水で，溺水事故が発生している．
- ⦿乳幼児のいる家庭では，溺水事故予防のため，入浴後は必ず水を抜き，浴槽を空にすることが有用である．
- ●浴室に外から鍵をかけられるようにし，乳幼児が1人で浴室に入れないようにすることも，溺水事故の予防には有用である．

6-❼ 溺水事故

6 熱傷（やけど）

- 家庭内には，やけどの原因となるものが，たくさん存在する．
- 乳幼児は皮膚が薄く弱いため，大人よりも低い温度で，また短時間の曝露で簡単にやけどを起こす．
- 乳幼児は好奇心が旺盛で，かつ視覚的に危険を察知できないため，ストーブをはじめ高温のものに触れてやけどを起こす．
- ストーブ，電気ポットのお湯，炊飯器の湯気，アイロン，花火などは，いずれも乳幼児のやけどの原因となりやすい．
- 自分で動き回ることができない6か月くらいまでの乳児のやけどの原因で最も多いのは，親が片手で乳児を抱っこしながら，反対側の手で熱いお茶などを飲もうとして，取り落とすことである（6-❽）．
- はいはいやつたい歩きが始まった乳児の場合は，机の上にある熱いお茶の入った湯のみや，湯の入ったカップラーメンなどに手をかけてひっくり返し，やけどを起こすことが多い（6-❽）．
- 家庭内でやけどの原因となりやすいものを認識し，ふだんから乳幼児の手が届かない場所に配置するよう心がけることが，熱傷事故の予防に最も重要である．

6-❽ 熱傷事故

7 事故と予防

- 事故は，しばしば重傷となり，即死する場合もある．
  - ▶事後の救急処置では，どうすることもできない場合がある．
- ⦿事故は予防が可能であり，減らすことができる．
- ⦿最も重要な事故対策は，応急処置の習得ではなく，予防策である．
- 小児の発達段階を理解し，これまでに起きた事故と関連づけることが，事故予防策に有用である．

8 救急処置

誤飲時の処置

- ⦿まずは，吐かせることが重要である．うつぶせで頭を下にし，のどの奥を指かスプーンで押し下げる（6-❾）．
  - ▶指を口に入れるときは，咬まれないように，ハンカチなどを指に巻いて保護する．
- 吐かせるのは，早ければ早いほどよい．
- ただし，強酸，強アルカリ，石油製品の誤飲時には，吐かせてはいけない．

6-❾ 誤飲時の処置（催吐）

うつぶせにして頭を低くする．

▶ 吐かせたとき，気管に入るとかえって重症になるため．

窒息時の処置

- 乳幼児は**背部叩打法**^{*1}（6-❿）を行うか，指で直接かき出す．
  - ▶ 指を口に入れるときは，咬まれないように，ハンカチなどを指に巻いて保護する．
- 学童以降は**ハイムリッヒ法**^{*2}（6-⓫）とよばれる処置を行う．

熱傷時の処置

- 熱傷を受けた部分を**流水**^{*3}で30分間冷やし，その後，医療機関で診察を受ける．

頭部打撲時の対応

- まず，意識状態を確認する．
  - ▶ 意識清明（**啼泣**^{*4}中を含む）であれば，とりあえずは問題がないため，経過観察をする．

6-⑩ 背部叩打法

① 片膝をついて，乳幼児の腹部をうつぶせにして乗せる．または，片腕の上に，乳幼児の腹部をうつぶせにして乗せる．
② 乳幼児の頭を下にする．
③ 背中の真ん中あたりを強く叩く

6-⑪ ハイムリッヒ法

① 窒息した児をうしろから抱きかかえる．
② 片手の拳を腹部に密着させ反対の手で上から押さえ，一瞬の勢いで力を込めて腹部を締め上げ，吐き出させる．

▶意識の低下（ぐったりする，元気がない，眠りがちである，など）は危険な徴候である．頭蓋内の出血も疑われるため，すぐに医療機関へ搬送する．

心肺蘇生

- 呼吸停止の場合は**人工呼吸**[*5]（**6-⑫**），呼吸停止と心停止のある場合は**心臓マッサージ**[*6]（**6-⑬**）をただちに開始する．
- 心肺蘇生は，次の手順で行う．
  ① 固い床の上に，水平に仰臥位で寝かせる．
  ② 呼吸数，心拍数を確認する．
  ③ 口の中に，吐物などの呼吸を妨げるものが残っていれば，排除する．

6-⑫ 人工呼吸

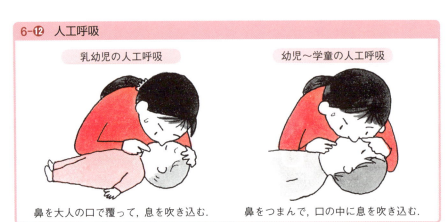

乳幼児の人工呼吸　　　幼児〜学童の人工呼吸

鼻を大人の口で覆って，息を吹き込む．　　鼻をつまんで，口の中に息を吹き込む．

6-⑬ 心臓マッサージ

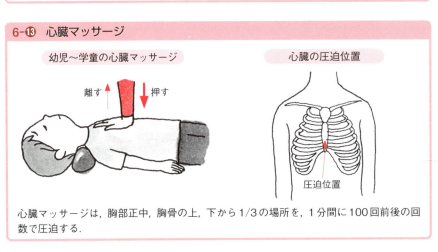

幼児〜学童の心臓マッサージ　　　心臓の圧迫位置

離す　押す　　　圧迫位置

心臓マッサージは，胸部正中，胸骨の上，下から1/3の場所を，1分間に100回前後の回数で圧迫する．

④ 心拍があり，呼吸のない場合は，人工呼吸を開始する．
⑤ 心拍も呼吸もない場合は，心臓マッサージを開始する．

用 語 解 説

*¹ **背部叩打法（はいぶこうだほう）**
- 気道に異物が入ったときに，排除する方法の一つ．
- 意識の有無，年齢，性別に関係なく実施可能である．

*² **ハイムリッヒ（ハイムリック）法**

上腹部圧迫法ともいう．

*³ **流水**

水道の水を流しっぱなしにすること．

*⁴ **啼泣（ていきゅう）**

声をあげて泣くこと．

*⁵ **人工呼吸**
- 呼吸をしているかどうかを確認すること．気道を確保することが重要である．
- 術者の口から直接吹き込むのが最も確実である．

*⁶ **心臓マッサージ**
- 乳児：人差し指，または人差し指と中指を使って胸骨を圧迫する．
- 幼児や学童：片手または両手で胸骨を圧迫する（6-⓭）．

7章 遺伝と健康

1 遺伝

- 身体のさまざまな特徴や性質が，同じ家系内で伝わる現象を遺伝という．
- 伝わり方は，単純なものから複雑なものまで，さまざまである．
  - ▶ 親子で伝わる場合
  - ▶ 親子間には一見関連がなくても，兄弟同士で同じ特徴が伝わる場合
  - ▶ 祖父母から孫に伝わる場合

2 タンパク質

- ヒトの身体は細胞が集まってできている．
  - ▶ 皮膚や筋肉も細胞が集まってできているが，皮膚や筋肉の形を保つ骨組み構造（ビルの鉄筋に当たる部分）を形づくるのはコラーゲンというタンパク質である．
  - ▶ 細胞の中で起こる生存に必要なさまざまな化学反応を推進しているのは酵素とよばれるタンパク質である．
  - ▶ 酸素を全身の臓器に運ぶはたらきをしているのも赤血球の中にあるヘモグロビンというタンパク質である．
  - ▶ 病原体が体内に侵入してきたときにこれを排除するためはたらいているのも免疫グロブリンとよばれるタンパク質である．
- タンパク質は全身のいたるところで重要なはたらきをしていて，タンパク質なしに生命活動はありえない．

7-❶ DNAと遺伝子の関係

- タンパク質はアミノ酸とよばれる分子（20種類存在する）が多数結合してできている．
  - ▶ アミノ酸には体内で合成されるアミノ酸と，合成できないため食事として摂取しなければならないアミノ酸（必須アミノ酸）がある．
  - ▶ 食事から摂取されたタンパク質は腸の中でいったん，一個一個のアミノ酸まで分解されたあと吸収され，これを使って改めてヒトの体内で必要なタンパク質が合成されている．

3 遺伝子

- 遺伝子は，**DNA**[*1]上に存在し，**タンパク質**[*2]を構成する**アミノ酸**[*3]の並び方を決定する（7-❶）．
  - ヒトの遺伝子の数は，およそ2.2〜2.3万と推定されている．
  - 1つの遺伝子が，複数のタンパク質の組成を決定する場合が，しばしばある．
    - ▶ このため，遺伝子の種類よりもタンパク質の種類のほうが，はるかに多い．
  - DNAは，細胞の核の中にある染色体に存在する（7-❷）．

4 染色体

- ヒトの染色体は，通常46本である（7-❸）．
  - 46本の染色体のうち，44本は常染色体とよばれ，男女共通である．
  - 44本の常染色体は，同じ染色体が2本ずつ対になっており，合計22組ある．1番から22番までの番号で名前が割り振られている．
  - 46本の染色体のうち，残り2本は性染色体とよばれ，男女で構成が異なる．

7 遺伝と健康

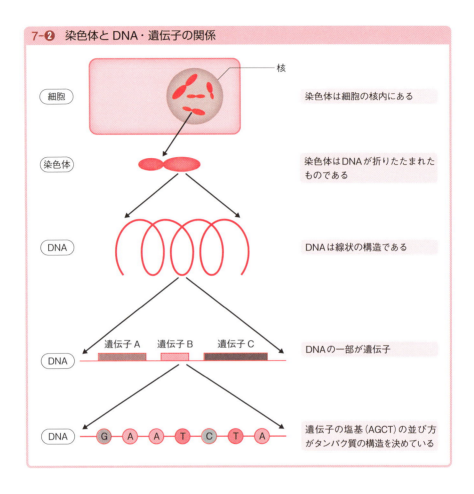

7-❷ 染色体とDNA・遺伝子の関係

▶ 性染色体の構成は，男性はX染色体とY染色体が1本ずつ，女性はX染色体が2本である．

5 優性遺伝と劣性遺伝

- ある遺伝子の性質が，2つのうち1つの遺伝子の存在のみで発現する場合，これを優性遺伝という（**7-❹**）．
- 病気となる変異を有する遺伝子を片方の親から受けつぐだけでその病気が発現する場合，この病気を優性遺伝病とよぶ．

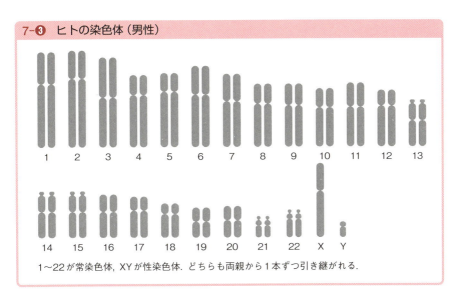

7-❸ ヒトの染色体（男性）

1〜22が常染色体，XYが性染色体．どちらも両親から1本ずつ引き継がれる．

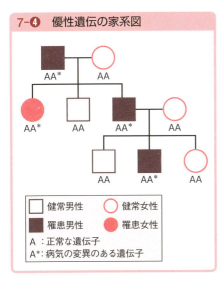

7-❹ 優性遺伝の家系図

□ 健常男性　○ 健常女性
■ 罹患男性　● 罹患女性
A ：正常な遺伝子
A*：病気の変異のある遺伝子

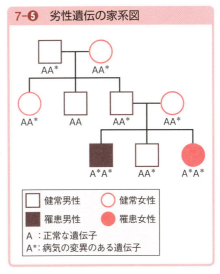

7-❺ 劣性遺伝の家系図

□ 健常男性　○ 健常女性
■ 罹患男性　● 罹患女性
A ：正常な遺伝子
A*：病気の変異のある遺伝子

● ある遺伝子の性質が，2つのうち1つの遺伝子の存在だけでは発現せず，2つの遺伝子がそろって初めて発現する場合，これを劣性遺伝という（7-❺）．

- 病気となる変異を有する遺伝子を両親から受けつぐときに，初めて病気を発現する場合，この病気を劣性遺伝病とよぶ．
- 優性遺伝，劣性遺伝は，遺伝する性質の優劣（優れている/劣っている）とは，まったく無関係である．

6 遺伝病

- ある病気が家系内で伝わり，これが医学的にも確認できた場合，これを遺伝病とよぶ．
- 遺伝病には，遺伝子の変異（異常）が関与している．
  - ▶ ただし，遺伝子の変異のすべてが遺伝病の原因となるわけではない．
- 遺伝病が永遠に伝わることはない．
  - ▶ 病気が重く，小児期に死亡してしまう場合は，子孫を残すことができないため，病気は子孫に伝わらない．
  - ▶ 病気によっては，成人に達しても，子孫を残すことが難しい場合もある．
- 遺伝病がなくなることも決してない．
  - ▶ 遺伝子は，一定の頻度で**新生突然変異**[*4] を生じている．

7 遺伝子病

- 遺伝子の変異が病気の原因となっている場合，この病気を遺伝子病とよぶ．
- 遺伝子病で，遺伝子の変異が生殖細胞（精子や卵子）にも体細胞（生殖細胞以外の細胞）にも存在する場合，この病気は遺伝子病であると同時に遺伝病でもある．
- 遺伝子病で，遺伝子の変異が生殖細胞（精子や卵子）には存在せず，体細胞（生殖細胞以外の細胞）のみに存在する場合は，この病気は遺伝子病ではあるが遺伝はしないので，遺伝病ではない．
  - ▶ がんなどの悪性腫瘍は，一般に遺伝子病ではあるが，遺伝病ではない．

8 染色体異常

- 染色体数の増減（異常）は，病気の原因となる．

7-❻ 21トリソミーの赤ちゃん

短い首，短頭（扁平な後頭部），小さく低い位置の耳，大きな舌，ややつり上がった目，内眼角贅皮（眼裂の内側のしわ）などがみられる．

トリソミー

- ◉染色体の総数が1本多い状態を，トリソミー（trisomy）とよぶ．
    - ▶常染色体のトリソミーのうち，出生可能なのは，21番，18番，13番のトリソミーだけであり，それぞれ21トリソミー，18トリソミー，13トリソミーとよばれる．
    - ▶常染色体の21番，18番，13番以外のトリソミーの場合は，すべて流産となるため，生きて産まれることはない．
- ●性染色体（XおよびY）では，さまざまな組み合わせのトリソミーが存在する．
    - ▶例：XXX，XXY，XYY．

21トリソミー

- ●ダウン症候群ともよばれる．
- ●顔貌に特徴がある（**7-❻**）．
- ●先天性の心臓病を合併する率が高い．
- ●多少の精神遅滞の傾向がみられる．
- ●母親が高齢の場合，出生の頻度が高くなる．
    - ▶30歳未満で約1,000人に1人，35歳で約300人に1人，40歳で約

100人に1人．

> **モノソミー**

- 🔴 染色体の総数が1本少ない状態をモノソミー（monosomy）とよぶ．
- 常染色体のモノソミーの場合は，すべて流産となるため，生きて産まれることはない．
- 性染色体では，X染色体のモノソミーが生存可能である．

Xモノソミー
- ターナー症候群とよばれる．
- 低身長をはじめとした，いくつかの特徴がある．
- 知的には正常である．

> **構造異常**

- 🔴 染色体の総数は46本だが，1本の一部の染色体が欠けていたり（欠失），増えていたり（重複）することがある．このような異常を総称して，染色体の構造異常とよぶ．
- 染色体の構造異常は，病気の原因となることがある．

9 出生前診断

- 家系内や家族内に，すでに遺伝病を発症した人が存在し，今後に生まれてくる子どもにも同じ遺伝病発症の可能性が考えられる場合に，胎児の段階で，その遺伝病に罹患しているかどうか検査で調べることを，出生前診断という．
- 主な出生前診断には，**絨毛検査**[*5]，**羊水検査**[*6]などがある．
- 🔴 出生前診断の検査の実施には，流産の危険を多少伴う．
- 出生前診断は，人工妊娠中絶を念頭において実施される．
    - ▶ 通常，妊娠22週以前に結果が得られる時期に，実施される．
    - ▶ 通常，人工妊娠中絶が容認される疾患に対し，実施される．
    - ▶ 通常，親に人工妊娠中絶の意思がない場合には，実施されない．

10 遺伝子診断と遺伝カウンセリング

- 医学の発展に伴い，病気の種類によっては，病気に関与する遺伝子の情報が，比較的簡単に検査できるようになった（遺伝子診断）．
- 遺伝カウンセリングは，主に遺伝子検査が行われる前と後に実施される．
- 遺伝子診断が治療法の選択に直結する場合には，検査の是非に関する問題は少ない．
- ⊙遺伝子診断が治療に結びつかない場合には，検査を受けるか否かは，検査を受ける本人の意思決定が重要となるため，遺伝カウンセリングが重要となる．

用語解説

*1 DNA

デオキシリボ核酸（deoxyribonucleic acid）の略称．4種類の塩基〔アデニン（A），グアニン（G），シトシン（C），チミン（T）〕のいずれかを含むデオキシリボヌクレオチドが鎖状に結合した構造で，塩基（AGCT）の並び方により，合成されるタンパク質のアミノ酸の種類と順番が決められている．

*2 タンパク質

20種類のアミノ酸が鎖状につながった化合物を，タンパク質という．構成するアミノ酸の種類と順番は，遺伝子の配列により決まる．構成するアミノ酸の数が100以下の短いタンパク質を，とくにペプチド（またはポリペプチド）とよぶ．

*3 アミノ酸

1つの炭素原子にアミノ基とカルボキシル基が結合した構造をもつ化合物を，アミノ酸という．タンパク質は，20種類のアミノ酸から構成される．

*4 新生突然変異

両親の遺伝子に変異がないにもかかわらず，子どもの遺伝子に新たに生じる変異．

*5 絨毛検査

胎盤の一部である絨毛を採取し，絨毛の細胞（胎児の細胞）の染色体や遺伝子などを調べる検査．妊娠10週ごろに実施される．

*6 羊水検査

母体の腹部から子宮内に向けて長い針を刺し，羊水を吸引してその中に浮遊している胎児の細胞の染色体や遺伝子などを調べる検査．妊娠16週ごろに実施される．

8章 子どもの症候

1 発熱

- 子どもの病気の多くは，発熱を伴う．
- ◉子どもの発熱の原因は，大部分が感染症である．
- 発熱は，大脳の発熱中枢に発熱物質が作用することで始まる．
  - ▶細菌などの病原体の成分は，発熱物質となる（外因性発熱物質）．
  - ▶体内で分泌される**炎症性サイトカイン**[*1]も，発熱物質である（内因性発熱物質）．
- 一般に，発熱によって病原体の活動が弱まり，感染症を克服する体制が整う．
- ◉子どもは，発熱に伴い食欲が低下し，脱水に陥ることがある．
  - ▶解熱薬は食欲を一時的に回復させ，脱水の進行を防ぐ目的で使用される．

2 食欲

- ◉子ども，とくに乳幼児の体調を評価するうえで，食欲の評価はきわめて有用である．
  - ▶乳幼児は，自分の体調をことばで表現できない．
  - ▶このため，乳幼児の体調の変化に気づくのは，しばしば遅れがちになる．
  - ▶食欲は，小児の体調を正確に反映する．
- 食欲の評価のためには，その児のふだんの食欲を把握しておくことが大切である．

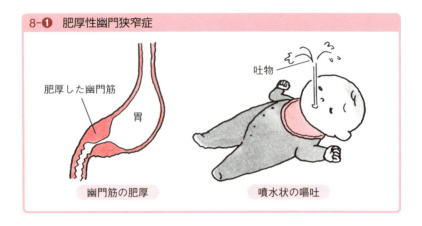

8-❶ 肥厚性幽門狭窄症

肥厚した幽門筋　胃　吐物

幽門筋の肥厚　　　噴水状の嘔吐

3 きげん

- ◎きげんは，食欲とならび，子ども，とくに乳幼児の体調を評価するうえで有用である．
  - ▶きげんも食欲と同様，小児の体調を正確に反映する．
- ●きげんの評価のためには，その児のふだんの様子や行動パターンを把握しておくことが重要である．

4 嘔吐

- ◎新生児や乳児では，病気とは無関係に嘔吐がみられることがある．
  - ▶新生児や乳幼児では，食道から胃にかけての折れ曲がった構造が未完成である．
  - ▶このため，胃から食道に向かって，簡単に逆流が起こる．
  - ▶食道と胃にかけての折れ曲がり構造は，成長とともにしだいに形成される．

肥厚性幽門狭窄症（8-❶）

- ◎生後1か月前後で，急に嘔吐が増える場合は，肥厚性幽門狭窄症を考慮する必要がある．
- ●肥厚性幽門狭窄症は，**幽門**[*2]を取り囲む筋肉（幽門筋）の層が厚く

なってここを締め付け，胃の内容物が先に進めなくなってしまう病気である．
- 肥厚性幽門狭窄症では，噴水状の嘔吐といって，吐物が水鉄砲のように1m以上勢いよく飛ぶ症状がみられるのが特徴である．
- 肥厚性幽門狭窄症の子どもでは，体重の増加率が鈍くなったり，体重減少がみられたりする．
  - ▶新生児や乳児での体重減少は，それだけで異常である．
- 肥厚性幽門狭窄症は，薬物による治療または手術により症状が改善する．

ウイルス性胃腸炎

- ◉乳幼児で突然嘔吐が始まる場合は，**ウイルス性胃腸炎**のことが多い．
- ウイルス性胃腸炎は，冬から春（11〜5月）に多くみられる．
- 原因は，**ノロウイルス**[*3]または**ロタウイルス**[*4]が多い．
- 嘔吐の前に，腹痛を訴えることも多い．
- 嘔吐に引き続き，下痢がみられることが多い．
- ウイルス性胃腸炎では，発熱がみられるとき，みられないとき，両方ある．

髄膜炎

- ◉ウイルス性胃腸炎ほど頻度は高くないが，**髄膜炎**でも突然の嘔吐がみられる．
- 髄膜炎には，細菌性のものとウイルス性のものがある．
  - ▶細菌性髄膜炎は重症な病気で，死亡や後遺症が起こりうる．
  - ▶細菌性髄膜炎の多くは，ワクチンで予防が可能である．
- 髄膜炎では，激しい頭痛がみられることも多い．
- 髄膜炎は，ほぼ必ず発熱を伴う．

5 下痢

- 下痢とは，便の性状が軟らかく（水っぽく）なることと，便の回数が増えることの両方がそろう症状をいう．
  - ▶白色の下痢は，ロタウイルスなどのウイルス性胃腸炎でしばしばみられる．
  - ▶母乳またはミルクだけを日常摂っている乳児の便は，大人の基準で考えると下痢に近い．
- 乳幼児が下痢を呈する病気で，最も多いのはウイルス性胃腸炎である．
  - ▶ウイルス性胃腸炎では，嘔吐が出現した半日～1日後に下痢が出現することが多い．
  - ▶胃腸炎に伴う下痢は，完全に回復するまでに1～2週間，あるいはそれ以上かかることもある．
- 血便を伴う下痢は，細菌性胃腸炎の可能性が高い．
  - ▶細菌性胃腸炎は，生命の危険を伴うものもあり，注意が必要である．
- ◉下痢が持続する場合，乳幼児は脱水に陥りやすく，注意が必要である．

6 脱水

- 子どもは大人に比べ，体重に占める水分の割合が高い．
  - ▶新生児は，この割合が最も高く，体重の約80％を占める．
- 子ども，とくに新生児・乳児は，水分を身体に留める力が弱い．
  - ▶子どもは大人に比べ，体重のわりに多量の水分を摂取しながら排泄し，体内の水分と電解質のバランスをとっている．
- ◉いったん水分の摂取と排泄のバランスが狂うと，子どもは容易に脱水に陥る．
  - ▶発熱時の食欲低下，嘔吐時の経口摂取低下などの際に，子どもは水分摂取が低下し，脱水に陥りやすくなる．
  - ▶嘔吐が続くとき，また下痢が続くときに，子どもは水分の排泄が増加し，

8-❷ 乳幼児の脱水の症状

① 口唇の乾燥
② 泣いたときの涙の減少
③ 尿量の減少（おむつが濡れる回数の減少）
④ 大泉門の陥凹
⑤ 活動性の低下

8-❸ 経口補液水

- 脱水に陥りやすくなる．
- 乳幼児が脱水になると，8-❷の症状がみられるようになる．
- 子どもの脱水予防には，経口補液が有用である．
  ▶ 乳幼児用の経口補液水（8-❸）には，水分および適切な濃度の電解質が含まれる．
  ▶ 経口補液は，うまく摂取できれば輸液（点滴）と同等の効果がある．
  ▶ 強い嘔吐が持続して経口補液が困難な場合は，輸液が必要となる．

7 咳

- 咳は，**気道**[*5]粘膜の刺激に対する反射である．
  ▶ 気管，気管支，肺など，気道の感染症でみられる．
  ▶ 気道に異物が迷入したときにもみられる．
- 咳は，気道の痰や異物を外に出そうとする反射である．
  ▶ 咳には有用な面がある．
  ▶ しかし，子どもにおいて，激しい咳は体力を消耗させる．
- 感染症には，特有の咳（**クループ**[*6]，**百日咳**[*7]）がみられるものがある．

8 鼻汁とくしゃみ

- 鼻汁は，鼻炎に伴い増加する．

- 小児の鼻炎の原因は，多くは感染症である（**かぜ症候群**[*8]，**急性鼻咽頭炎**[*9]）．
- アレルギー（たとえば花粉症）でも，鼻炎を生じる．
● くしゃみは，鼻粘膜の刺激に対する反射で出現する．
● 鼻炎で鼻汁の分泌が増えると，くしゃみが出る機会も多くなる．
- 感染（かぜ症候群）に伴う鼻炎により，くしゃみは増加する．
- 花粉症などアレルギー性の鼻炎でも，くしゃみは増加する．

9 けいれん

● けいれんとは，本人の意思とは無関係に突然起きる筋肉の収縮である．
- 筋肉の収縮は，ずっと持続する場合（強直性けいれん）と，一定のリズムで周期的にくり返す場合（間代性けいれん）とがある．
- 多くの場合，けいれんが持続している間，本人の意識はなくなっている．
- けいれんの持続時間は，数分から1時間以上とさまざまである．
● 乳幼児でけいれんがみられる病気の代表は熱性けいれん（p.131参照）とてんかんである（p.133参照）．

用語解説

*¹ **炎症性サイトカイン**

身体で起こる熱，赤み，腫れ，痛みを伴う反応を炎症とよぶ．細菌が皮膚に侵入したときがそのよい例である．
炎症が起きているときに体内のいろいろな細胞から分泌され炎症に関係する命令を伝えるタンパク質を炎症性サイトカインとよぶ．インターロイキン1，インターロイキン6，インターフェロンγなど多くの炎症性サイトカインが見つかっている．

*² **幽門**

幽門とは，胃の出口，胃と十二指腸の間の部分をいう．

*³ **ノロウイルス**

秋から冬にかけて流行する，主に嘔吐，時に下痢の症状を引き起こすウイルス．

*⁴ **ロタウイルス**

1〜6月にかけて流行する，主に嘔吐と下痢の症状を引き起こすウイルス．発熱を伴う場合が多く，ウイルス性胃腸炎のなかで重症度が高い．ワクチンで予防が可能である．

*⁵ **気道**

呼吸器の空気の通り道のこと．

*6 クループ

ウイルスの感染などにより喉頭（のどの部分）が炎症を起こして腫れ，犬吠様の咳，オットセイのなき声のような咳を示す．

*7 百日咳（ひゃくにちぜき）

百日咳菌によって起こる急性の気道感染症．短く連続的に咳が続き，最後に深く息を吸い込む症状を示す．とくに乳児では重症化し，死亡することもある．

*8 かぜ症候群

俗にいう「風邪」のこと．鼻汁，のどの痛み，咳，発熱などいろいろな部位の炎症を表す疾患の総称．

*9 急性鼻咽頭炎

ウイルスや細菌が鼻から入り，咽頭全体に起きる炎症のこと．鼻とのどに痛みを生じ，発熱を伴う場合がある．かぜ症候群とほぼ同じ意味．

9章 感染症

1 病原体と感染症

- ⦿子どもに感染症を起こす病原体には，細菌，ウイルス，マイコプラズマ，真菌（かび），リケッチアなどがある．
  - ▶子どもに通常みられるのは，細菌またはウイルスの感染症で，マイコプラズマ感染症も時にみられる（9-❶）．
- ●細菌感染症は，重症化することがしばしばある．
  - ▶細菌感染症は，通常，抗菌薬（抗生物質）による治療が有効である．
- ●ウイルス感染症の多くは，軽症である．
  - ▶ただし，種類によっては，一部重症な感染症も存在する．
  - ▶一部を除き，ウイルス感染症に対する有効な抗菌薬治療は存在しない．

2 子どもと感染症

- ●小児期の病気の大部分は，感染症である．
- ⦿子ども，とくに乳幼児は免疫系が未成熟であり，感染症にかかりやすい．
  - ▶ただし，生後6か月ごろまでは，主に出生前に母体から移行する**免疫グロブリン**[*1]（移行抗体，経胎盤免疫）のおかげで，感染症，とくにウイルス感染症にかかりにくい．
  - ▶生後6か月までの乳児は，熱を出すことはほとんどないが，6か月を過ぎると熱を出すことが増える．
- ●子どもは，感染症を一つひとつ経験することで，個々の病原体に対

9 感染症

9-❶ 細菌とウイルスの違い

	細菌	ウイルス
大きさ	大	小
単独での増殖	可能	不可能
抗菌薬	有効	無効

する後天性免疫を確立していく（いわゆる**二度なし現象**）．
- ▶ ただし，病原体の種類によっては，後天性免疫が確立できず，何度も感染をくり返すことがある．
- ▶ ワクチンを接種すると，感染症を経験することなく後天性免疫を確立することができる．

3 集団生活と感染症

- 🔴 集団生活に入ると，感染症に罹患する機会が飛躍的に増える．
  - ▶ 小児の集団生活の場としては，保育所，幼稚園，小学校，中学校，高等学校などがある．
  - ▶ 乳幼児が保育所などの集団生活に初めて入った際には，ほとんど毎週のように発熱がみられるようになり，親は驚かされる．
  - ▶ 大人でも，大学や軍隊などの共同生活の場では，集団感染がしばしば経験される．
- ● 多くの感染症は，ヒトからヒトに感染する．
  - ▶ ヒトからヒトに感染しない感染症も，一部存在する．

4 感染経路

- ● ヒトに感染する際の経路には，病原体ごとに特徴がある．
  - ▶ 感染経路の理解は，感染予防対策を考えるうえで有用である．

飛沫核感染（空気感染）

- ● 病原体が，空気中を漂うかたちで運ばれ，それを他人が吸入して感染が成立する感染様式．

- ◎最も感染力が強く，1人の罹患者の周囲から，多くの感染者が出るおそれがある．
  - ▶麻疹，水痘など．

飛沫感染

- ●咳といっしょに飛び散る細かな唾液に乗って病原体が運ばれ，それを他人が吸入して感染が成立する感染様式．
- ◎飛沫核感染よりも感染力は弱く，主に患者のそばにいた人に感染する．
  - ▶一般のかぜのウイルス，インフルエンザ，おたふくかぜなど．

接触感染

- ●身体と身体の直接の接触により，初めて感染が成立する感染様式．
- ◎ほかの感染様式と比べ，感染力は弱い．
  - ▶性感染症〔クラミジア，ヒト免疫不全ウイルス（HIV），梅毒など〕，伝染性軟属腫（みずいぼ），B型肝炎など．

一般媒介物感染

- ●もの（食品，水など）を介して感染する感染様式．
  - ▶サルモネラ（卵，食肉などの食品，ミドリガメなどのペット），クリプトスポリジウム（飲料水），レジオネラ（空調）など．

昆虫媒介感染

- ●昆虫が病原体を運び，ヒトに感染させる感染様式．
  - ▶日本脳炎（蚊），マラリア（蚊），ツツガムシ病（ダニ）など．

経胎盤感染

- ●妊婦から胎児へ，胎盤の血流を介して感染する感染様式．母子垂直感染ともよぶ．
  - ▶B型肝炎，風疹，サイトメガロウイルス，HIVなど．

9-❷ 学校感染症の分類	
分類	解説
第一種	・重篤な感染症. ・国内の流行は，通常みられない.
第二種	・飛沫感染の感染症. ・感染力がとくに強い. ・学校で流行する可能性が高い.
第三種	・飛沫感染以外の感染症. ・第二種より感染力は弱い. ・学校で流行する可能性がある.

9-❸ 第一種の学校感染症	
エボラ出血熱	ジフテリア
ペスト	SARS
ポリオ	ラッサ熱
クリミア・コンゴ熱	鳥インフルエンザ
マールブルグ病	痘瘡

5 学校感染症

- **学校保健安全法**[*2] の施行規則のなかで定められた「学校において予防すべき感染症」を，略して通常，学校感染症とよぶ．
- ヒト‐ヒト感染の感染症は，集団生活の場である学校などで拡大しやすいことから，これを認識し，拡大を抑えることを目的に，各感染症が分類され（9-❷），対処法が指定されている．

第一種

- 第一種の学校感染症は，すべて重篤な疾患であるが，流行地域が限定され，通常，日本国内ではみられないものである（9-❸）．
  ▶ 第一種の学校感染症は，基本的には，通常，無縁とみなしてさしつかえない．

第二種

- 第二種の学校感染症はすべて飛沫感染または飛沫核感染の感染症である（9-❹）．
  ▶ 感染力が，最も強い．
  ▶ 二次感染，三次感染などに，十分な注意が必要である．
- 第二種の学校感染症と診断された場合，校長の権限で，ただちに出

9-❹ 第二種の学校感染症

感染症	出席停止の期間
インフルエンザ	発症後5日を経過し，かつ解熱後，2日経過するまで．ただし幼稚園に通う幼児は，解熱後3日経過するまで．
百日咳	特有な咳が消失するまで．または5日間の適正な抗菌薬療法が終了するまで．
麻疹	解熱後，3日経過するまで．
流行性耳下腺炎	耳下腺または顎下腺，舌下腺の腫脹が発現してから5日経過するまで．
風疹	発疹が消失するまで．
水痘	すべての発疹が痂皮化するまで．
咽頭結膜熱	主な症状が消失した後，2日経過するまで．
結核	伝染のおそれがなくなるまで．
髄膜炎菌性髄膜炎	伝染のおそれがなくなるまで．

席停止となる．
▶出席の再開にあたっては，各疾患ごとに定められた基準を満たす必要がある．

第三種

- 第三種の学校感染症は，飛沫感染・飛沫核感染以外の経口感染や接触感染で感染し，全体に第二種に比べて感染力は弱い（9-❺）．
- 第三種の学校感染症のうち，「その他の感染症」以外の特定の感染症と診断された場合は，第二種と同じく出席停止となる．
- 第三種の学校感染症の「その他の感染症」の場合，通常，出席停止とはならない．
  ▶通常とは異なる大流行の場合など，状況に応じて，校長の判断により出席停止の処置がとられる場合がある．

6 溶連菌感染症

- A群β溶血性連鎖球菌（溶連菌）による感染症である．
- のど（咽頭，扁桃）が，主な感染の場となる．

9-❺ 第三種の学校感染症

感染症	出席停止の期間
腸管出血性大腸菌感染症	伝染のおそれがなくなるまで.
コレラ	
細菌性赤痢	
腸チフス	
パラチフス	
流行性角結膜炎	
急性出血性結膜炎	
その他の感染症*	必要があれば，校長が学校医と相談して出席停止の措置をとる.

*溶連菌感染症，ウイルス性肝炎，手足口病，ヘルパンギーナ，伝染性紅斑，マイコプラズマ感染症，流行性嘔吐下痢症，アタマジラミ，伝染性軟属腫，伝染性膿痂疹.

- 主な症状は，発熱，のどの痛み（咽頭痛），身体の発疹，腹痛などである．
- ◉ 子どもでは，日常的によくみられる感染症である．
- 診断がつけば，治療は抗菌薬の内服のみで比較的簡単に治る．
  - ▶ 以前，この病気は猩紅熱とよばれ，学校伝染病としてすべて出席停止の対象となっていた．
  - ▶ 現在では抗菌薬で簡単に治るようになったため，第三種の学校感染症のその他の感染症に含まれており，通常は出席停止の対象とはならない．
- 一度かかっても，感染予防に十分な免疫はできないため，溶連菌感染症は何度もかかる可能性がある．

7 黄色ブドウ球菌感染症

- 黄色ブドウ球菌は，しばしば皮膚の傷などから侵入し，化膿性の病気を引き起こす．
  - ▶ 赤い発疹で始まり，拡大し，大小さまざまな水疱を形成することもある．
  - ▶ 発疹はかゆみを伴い，膿が貯留し，水疱が破れたあとは，湿ってじゅく

- じゅくした状態がしばらく続く．
- 黄色ブドウ球菌はありふれた菌であり，環境中のいたるところに存在する．
- 幼児によくみられる通称「とびひ」は，正式には伝染性膿痂疹とよばれ，その大部分は黄色ブドウ球菌の皮膚感染症である．
  - ▶徐々に周囲の皮膚に発疹が広がることから，「とびひ」とよばれている．
  - ▶周囲の人への感染力は多少あるものの弱い．
- 黄色ブドウ球菌は，食中毒の原因菌の一つでもある．

8 百日咳

- 百日咳菌の感染による感染症である．
- 痙咳（けいれん性の咳）とよばれる短い咳を連続的にくり返す．
- 百日咳に対して経胎盤免疫の効果は少なく，出生直後の乳児であっても感染の可能性がある．
  - ▶6か月未満の乳児が罹患した場合は，死亡する可能性がある．
  - ▶日本では，年間，約2万人の感染が起こっていると推定されている．
- 予防には，**DPT-IPV 四種混合ワクチン**[*3]の接種が有効である．
- 乳幼児の感染源として，過去にワクチンの接種を受けた大人において，ワクチンの効果が低下したことによる百日咳罹患がクローズアップされている．

9 インフルエンザ菌 b 型（Hib）感染症

- インフルエンザ菌には，a～fの6種類の型があるが，病気の原因として問題となるのは，ほとんどがb型である．
  - ▶インフルエンザ菌は，冬に流行する季節性のインフルエンザ（原因はインフルエンザウイルス）とは無関係な細菌である．
- インフルエンザ菌b型は，0～2歳の乳幼児の**髄膜炎**[*4]の原因として最も多く，また重大な病気である．
  - ▶インフルエンザ菌b型髄膜炎に罹患すると，万全な治療が行われても2～5％が死亡し，15～30％では重篤な後遺症を残す．

- インフルエンザ菌 b 型感染症は，ワクチン接種によりほぼ完璧に予防できる．

急性喉頭蓋炎
- 急性喉頭蓋炎は，気管の入り口である喉頭蓋の感染症で，原因となる菌はほとんどがインフルエンザ菌 b 型である．
  - 急性喉頭蓋炎は，窒息・呼吸停止から死亡する可能性のある重大な感染症である．
  - 急性喉頭蓋炎は，2～5 歳の幼児で発症することが多い．

10 麻疹（はしか）

- 麻疹ウイルスによる感染症である．
- 主に発熱，咳，鼻汁，眼脂（目やに），発疹などがみられる．
  - 重症の感染症で，十分な治療を受けても，罹患者の 1,000 人に 1 人は死亡する．
- 飛沫核感染（空気感染）により伝播するため，感染力がきわめて強い．
  - 春から夏にかけて流行が拡大する傾向がある．
- 麻疹は，ワクチン接種により予防可能である．

11 風疹

- 風疹ウイルスによる感染症である．
- 主に発熱，発疹，リンパ節の腫脹などがみられる．
  - 比較的軽症の感染症で，感染により死亡することはほとんどない．
- 飛沫感染により伝播する．
  - 麻疹に比べると，感染力は弱い．
- 妊娠初期の妊婦が風疹に罹患すると，胎児が先天性風疹症候群を発症する危険がある．
  - 先天性風疹症候群では，難聴，白内障，先天性心疾患，精神遅滞などがみられる．
- ワクチン接種により風疹罹患を予防し，風疹の流行も予防すること

で，先天性風疹症候群を予防することが可能である．

12 水痘（みずぼうそう）

- 水痘帯状疱疹ウイルスによる感染症である．
- 主に発熱，発疹がみられる．
  - ▶発疹の出始めは虫刺されに似ており，1日くらい経つと患部の盛り上がりが拡大し，水疱状となる．
  - ▶水疱はその後破れ，かさぶたができ，治っていく．
  - ▶発疹は，かゆみを伴う．
- ◉飛沫核感染（空気感染）により伝播するため，感染力がきわめて強い．
- 水痘帯状疱疹ウイルスは，初めて感染した際に水痘を引き起こし，その後，脊髄近くの神経根という場所に生涯潜伏する．
  - ▶潜伏したウイルスは，病気や高齢により免疫力が低下したときに活動を開始し，**帯状疱疹**[*5]を発病する．
- ◉水痘は，ワクチン接種により予防可能である．

13 おたふくかぜ

- 流行性耳下腺炎，ムンプス（mumps）ともよばれる．
  - ▶おたふくかぜウイルス（ムンプスウイルス）による感染症である．
  - ▶**潜伏期**[*6]は，2〜3週間である．
- 主に発熱，頬部（耳下腺部）の腫れと痛みがみられる．
- 同時に髄膜炎を発症することがしばしばある．
- ◉約1,000人に1人の割合で，後遺症として難聴がみられることがある．
  - ▶大人が罹患すると，精巣炎，卵巣炎を発症することがある．
- ◉おたふくかぜは，ワクチン接種により予防可能である．

14 かぜ症候群

- 咳，鼻汁，発熱，咽頭痛などの症状を呈する一連の感染症を総称し

て「かぜ症候群」とよぶ．
- 原因となるウイルスは，ライノウイルス，パラインフルエンザウイルス，RS ウイルス，アデノウイルスなどが存在し，また，それぞれが多くの型に分かれるため，きわめて多種類である．
  - ▶通常，かぜ症候群の原因の病原体を，検査でつきとめることは困難であり，また必要性も少ないため行われない．
- ⦿かぜ症候群の多くは軽症である．
  - ▶特異的な治療法はほとんどないが，自然に治癒する．
  - ▶学童期以降や大人が罹患したときは軽症だが，乳幼児が罹患すると重症化する病原体が，一部存在する．
- ⦿多くは，飛沫感染により伝播する．

15 インフルエンザ

- インフルエンザウイルスによる感染症である．
- インフルエンザは，毎年世界中で流行する．
  - ▶日本では，毎年冬場の 12〜3 月ごろに流行する．
- 毎年流行を起こすインフルエンザウイルスには，A パンデミック 2009 年型（H1N1）と A 香港型（H3N2）および B 型がある．
  - ▶インフルエンザウイルスは遺伝子の変異が起きやすく，毎年のように多少の遺伝子変異を起こしたウイルスが流行を起こしている．
- インフルエンザの症状には，発熱（約 1 週間続く高熱），咳，鼻汁，頭痛，倦怠感，筋肉痛，関節痛などがある．
- ⦿基本的には自然の経過で治癒するが，有効な抗ウイルス薬も開発され，現在，使用されている．
- ⦿インフルエンザは，ワクチン接種により予防可能である．
  - ▶ただし，ほかのワクチンに比べ，予防効果はやや劣る．

16 RS ウイルス感染症

- 呼吸器の感染症である．
- 冬場の 11〜2 月ごろに流行する．

- 発熱，咳，鼻汁などがみられる．
- ◉とくに乳幼児で重症化しやすい．
    - ▶1〜2か月の乳児は，無呼吸発作を起こすことがあり，とても危険である．
    - ▶乳幼児では，強い呼吸困難を伴う急性細気管支炎を起こすことがある．
- ワクチンは，まだ実用化されていない．
- **モノクローナル抗体**[*7]の技術を応用したパリビズマブという製剤が開発され，ワクチンほどではないが予防効果があり，とくに重症化が予想される早産児などの乳幼児の感染予防を目的に使用されている．

17 感染性胃腸炎

- 小児では乳幼児を中心に，主に冬期に流行する．
- 原因となる主な病原体は，ノロウイルスとロタウイルスである．
- 吐物や下痢からの飛沫感染や，食品の経口感染で伝播する．
    - ▶保育所や幼稚園で，しばしば流行がみられる．
    - ▶吐物は，水で薄めた次亜塩素酸ナトリウム（キッチンハイターなど）を浸したペーパータオルですばやくふき取る．
    - ▶アルコールによる消毒は無効である．
- 嘔吐と下痢が主な症状で，発熱を伴うこともある．
    - ▶白色の下痢がみられることがある．
- ◉乳幼児は，嘔吐や下痢に伴う脱水で重症化する．
    - ▶経口補液など，水分補給が重要である．
- 同じような症状を起こすウイルスの種類が多いため，何度も罹患することが多い．
    - ▶大人や高齢者が罹患することもある．
- ◉ロタウイルス胃腸炎はワクチンにより予防可能である．

18 食中毒

- 食品とともに摂取された病原体や毒素により起こる，嘔吐や下痢，腹痛を伴う病気を食中毒とよぶ．

9 感染症

- 大部分は細菌やウイルスなどの病原体が原因となる.
- 病原体による食中毒には,大きく分けて,① 毒素型,② 感染型,③ 混合型の3つがある.

毒素型

- 毒素型の食中毒の原因となる主な病原体は,黄色ブドウ球菌とボツリヌス菌である.
- 毒素型の食中毒は,菌がつくった毒素を,口から摂取することで発病する.
  - ▶ 症状の強さは,摂取した毒素の量に依存する.
  - ▶ 原因となる食品を摂取してから,比較的早い時間(数時間)に症状が出る.
  - ▶ 発病したときの症状が,経過のなかで最も重い症状である.

黄色ブドウ球菌

- 黄色ブドウ球菌の食中毒は,調理者の手の傷などから,黄色ブドウ球菌の毒素が食品に移行することで起こる.
  - ▶ おにぎり,弁当などが原因で起こることが多い.
  - ▶ 調理時の手袋の使用は,食中毒の予防に有効である.
- 黄色ブドウ球菌の毒素は,熱に対して安定である.
  - ▶ 食品を加熱しても,発症を予防できない.
- 黄色ブドウ球菌による食中毒は,比較的軽症で,命にかかわることは通常ない.

ボツリヌス菌

- ボツリヌス菌の食中毒(ボツリヌス中毒)は,ボツリヌス毒素を含む食品の摂取で発病する.
- ボツリヌス菌は,酸素のない環境でよく発育する(嫌気性菌).
  - ▶ 日本では,いずし(飯鮓)が原因のボツリヌス中毒が,ときどき発生している.
  - ▶ 真空パックの食品,自家製の缶詰などが原因で,発症することもある.
  - ▶ 通常の食品は,酸素の存在する環境にあるため,ボツリヌス中毒の原因とはならない.

9-❻ サルモネラ菌の食中毒の原因

原因	種類
鶏卵	生卵
肉類	ブタ，ニワトリ，ウシ
ペット*	イヌ，ネコ，トリ，は虫類，両生類

*ペットと接触後，サルモネラ菌の付着した手で食事をとったり，ペットの糞便から経口的に感染することがある．

- ボツリヌス中毒は，きわめて重症で，しばしば死亡する．
- ボツリヌス中毒の発生は，比較的まれである．

感染型

- 感染型の食中毒の主な病原体は，サルモネラ菌，腸炎ビブリオ，カンピロバクターである．
- ◉感染型の食中毒は，原因となる病原体を含む食品を摂取したあと，腸の中で病原体が増殖してから発病する．
  - ▶発病までの時間は，毒素型の食中毒より遅く，数日後に発病することが多い．
  - ▶発病までの時間や症状の強さは，摂取した病原体の量にある程度依存する．
  - ▶病状は，発病後しばらくは，時間とともに悪化する．
- 下痢は，血便となることが多い．
  - ▶カンピロバクターの場合は，とくに血便がめだつ．
- サルモネラ菌，腸炎ビブリオ，カンピロバクターは，いずれも熱で死滅するため，食品の加熱は予防に有効である．
- サルモネラ菌，腸炎ビブリオ，カンピロバクターの食中毒（胃腸炎）は，命にかかわることは通常ない．

サルモネラ菌

- サルモネラ菌は，多くの動物類の腸内にふつうに存在する．
  - ▶サルモネラ菌の食中毒の原因として多いものを，9-❻に示す．

腸炎ビブリオ

- 腸炎ビブリオは，生の魚介類とともに摂取されることが多い．

カンピロバクター

- カンピロバクターもサルモネラ菌と同様，ブタ，ニワトリ，ウシなどの家禽類の腸内にふつうに存在する．
  ▶ 加熱不十分な鶏肉の摂取が原因のカンピロバクター食中毒が，しばしば起こっている．

混合型

- 混合型の食中毒の主な病原体は，病原性大腸菌である．
- 毒素型と感染型の食中毒の両方の特徴を併せもつ食中毒である．
- 病原性大腸菌には多くの型が存在するが，なかでも病原性大腸菌O157：H7は，重症の食中毒を起こすことで有名である．
- 病原性大腸菌も，サルモネラ菌などと同様，ウシをはじめとする家禽類の腸内に存在している．
- 加熱不十分な牛肉（焼き肉，ハンバーガーなど）の摂取から，食中毒がしばしば発生している．
- 肉類以外でも，気づかれないところで起きた，家禽類のし尿による水や野菜類の汚染から集団食中毒が発生することもある．
- ◉ 病原性大腸菌による食中毒は，とくに乳幼児でしばしば重症化する．
  ▶ O157：H7などが原因の場合はとくに重症で，死亡することもまれではない．
- 病原性大腸菌は熱に弱いため，加熱処理は予防に有効である．

自然毒

- 病原体による食中毒と比べ，発生数は少ないが，自然毒による食中毒も存在する．
- 動物類の食中毒では，フグ毒の食中毒が代表的である．
- 植物類の食中毒では，毒キノコあるいはソラニン[*8]の食中毒が代表的である．

用 語 解 説

*1 **免疫グロブリン**

病原菌などの抗原に結合して，感染を防御したり，毒素の毒性を中和する働きをもつ．抗体ともよばれる．IgG，IgM，IgA，IgD，IgE の 5 種類がある．

*2 **学校保健安全法（昭和 33 年制定，平成 20 年改正）**

- 昭和 33 年に「学校保健法」が制定され，平成 20 年の一部改正時に「学校保健安全法」と改称された．
- 学校保健および学校安全の充実，学校給食を活用した"食育（食に関する指導）"の充実および学校給食の衛生管理の適切な実施を図るための法律．

*3 **DPT-IPV 四種混合ワクチン**

ジフテリア，百日咳，破傷風，ポリオの病原菌・毒素に対するワクチン．

*4 **髄膜炎**

細菌性髄膜炎（化膿性髄膜炎）と無菌性髄膜炎があり，主な症状は頭痛，発熱，嘔吐である．

*5 **帯状疱疹**

過去に感染した水痘帯状疱疹ウイルスの再活性化により，小さな水疱が帯状に形成される．水疱は，強い痛みを伴う．

*6 **潜伏期**

感染源（者）との接触から発病までの期間．

*7 **モノクローナル抗体**

単一の抗原決定基とだけ結合する人工的につくられた抗体で，性質は均一である．

*8 **ソラニン**

生のジャガイモ（主に発芽部分）に含まれる有毒成分．嘔吐，腹痛，下痢などの症状を起こす．

パンデミック・インフルエンザ

- 2009年より，パンデミック・インフルエンザ（当時の通称は新型インフルエンザ）の流行が始まった．
- これまで30〜40年に一度，大きな遺伝子変異を伴ったインフルエンザの世界的大流行をくり返し経験しており，これをパンデミック（pandemic）とよんでいる．
- 1917年に流行が始まったスペインかぜは重症であった．
- 2009年に流行が始まったパンデミック・インフルエンザは，2012年現在，通常の季節性インフルエンザとなっていて，これに対するワクチンも通常の季節性インフルエンザワクチンに含められている．

乳児ボツリヌス症

- 乳児ボツリヌス症は，はちみつが原因となることが多い．
- はちみつのなかには，ボツリヌス菌の芽胞が含まれていることがある．
- 1歳未満の乳児は胃酸の力が弱いため，はちみつといっしょにボツリヌス菌の芽胞を食べたとき，芽胞は胃酸で死滅することなく胃を通過して腸に至り，そこでボツリヌス菌が増殖する．
- 腸の中で増殖したボツリヌス菌が出す毒素で，乳児に食欲の低下や活力の低下，体重の減少が起こり，治療が遅れると死亡することもある．
- 1歳未満の乳児にはちみつを与えてはいけない．

10章 予防接種

1 ワクチンとは

- ⊙ ワクチンは，病原微生物の菌体を利用した製剤で，その微生物の感染予防を目的として使用される．
  - ▶ 病原体には，一度罹患すると，その後，罹患することがなくなるものがある（いわゆる**二度なし現象**）．
  - ▶ ワクチンは，病原性を減らした病原体を使用し，接種後に初めての感染と同等の免疫状態をつくり出し，その後の自然感染を防ぐことを目的とした製剤である．
- ⊙ ワクチンには，**生ワクチン**[*1]と**不活化ワクチン**[*2]がある．
- ● 生ワクチンは，一般に不活化ワクチンに比べて免疫効果が高い．
  - ▶ 生ワクチンは，2回の接種で，ほぼ終生の免疫が得られるものが多い．
  - ▶ 不活化ワクチンは，最初3～4回の接種を必要とし，その後も5～10年ごとに下がってきた免疫を高めるため，**ブースター接種**[*3]が必要となるものがある．
- ● 不活化ワクチンは，一般に生ワクチンに比べて副反応が少ない．
  - ▶ 不活化ワクチンは，生きた病原体を使わないため，病原体に残された病原性や，接種後まれに起こる変異により復活した病原性に基づく副反応がみられない．
  - ▶ ただし，接種局所の腫れや痛みといった副反応は，不活化ワクチンのほうが生ワクチンよりも多い．

2 勧奨接種のワクチン

- 日本の小児の勧奨接種（または定期接種）ワクチンは，B型肝炎ワクチン，Hibワクチン，小児用肺炎球菌ワクチン，BCGワクチン，DPT-IPV（ジフテリア・百日咳・破傷風・ポリオ）混合ワクチン，MR（麻疹・風疹）混合ワクチン，水痘ワクチン，日本脳炎ワクチン，ヒトパピローマウイルスワクチンの9種類（ワクチンとしては13種類）である（10-❶）．
  - ▶ 勧奨接種のワクチンは，予防接種法に基づき接種が行われる．
  - ▶ 勧奨接種のワクチンは，国および自治体が接種費用を負担するため，自治体により差はあるものの，基本的に無料またはほぼ無料で接種が受けられる．
- 先進国のなかで，日本はきわめて定期接種のワクチンの種類が少ない国であったが，2013年以降増加した．

B型肝炎ワクチン

- B型肝炎ワクチンは，B型肝炎ウイルスの感染を予防するための不活化ワクチンである．
  - ▶ B型肝炎ウイルスは，輸血時，**B型肝炎ウイルスキャリア**[*4]の母親の出産時，同居家族内，集団生活や性感染として感染する．
  - ▶ B型肝炎ウイルスは，キャリアの血液，唾液，汗，涙，尿などにも分泌され，周囲との接触で感染が起こる．
  - ▶ B型肝炎ウイルス感染時には，確率は低いものの，死亡率の高い劇症肝炎を発症する可能性がある．
  - ▶ B型肝炎ウイルス感染者の一部で，将来，肝臓がんを発症することが知られている．
- B型肝炎ワクチンは日本では1歳未満で勧奨接種ワクチンに含まれている．
  - ▶ 生後2か月で1回目，3か月で2回目，7〜8か月で3回目の接種を行い完了する．

10-❶ 勧奨接種のワクチン

ワクチン	接種回数	区分			標準的接種年齢	種類
B型肝炎	3	1回目			2か月	不活化ワクチン
		2回目			3か月	
		3回目			7〜8か月	
Hib	4	初回	1回目		2〜6か月	不活化ワクチン
			2回目			
			3回目			
		追加			1歳〜	
小児用肺炎球菌	4	初回	1回目		2〜6か月	不活化ワクチン
			2回目			
			3回目			
		追加			1歳〜	
DPT-IPV混合 　ジフテリア 　百日咳 　破傷風 　ポリオ	5	1期	初回	1回目	3か月〜1歳	不活化ワクチン
				2回目		
				3回目		
			追加		1〜2歳	
		2期（DT）			11〜12歳	
BCG	1				5〜7か月	生ワクチン
MR混合 　麻疹 　風疹	2	1期			1歳	生ワクチン
		2期			小学校就学前1年間	
水痘	2	1期			1歳	生ワクチン
		2期			1歳6か月〜2歳	
日本脳炎	4	1期	初回	1回目	3歳	不活化ワクチン
				2回目		
			追加		4歳	
		2期			9〜12歳	
ヒトパピローマウイルス	3	初回	1回目		小学校6年生〜高校1年生の女子	不活化ワクチン
			2回目			
		追加				

- ▶ B 型肝炎ワクチンは B 型肝炎ウイルス感染を予防することで肝臓がんの発症を予防するがん予防ワクチンである．
- ▶ B 型肝炎ワクチンは，母親が B 型肝炎ウイルスキャリアである場合は，母子垂直感染防止の目的で，出生直後より接種が開始される．
- ▶ B 型肝炎ワクチンは世界 186 か国で定期接種が行われている．

Hib ワクチン

- ◉ Hib ワクチンは，インフルエンザ菌 b 型（*Haemophilus influenzae* type b：Hib）の感染を予防するための不活化ワクチンである．
  - ▶ インフルエンザ菌 b 型は，5 歳未満の乳幼児に**髄膜炎**や**急性喉頭蓋炎**[*5]といった重症の感染症を引き起こす．
  - ▶ インフルエンザ菌 b 型による髄膜炎に乳幼児が罹患すると，2〜5 ％が死亡し，15〜30 ％に後遺症が残る．
- ● Hib ワクチンは，日本では勧奨接種のワクチンに含まれている．
  - ▶ 生後 2 か月以降にまず 3 回（4〜8 週間隔），1 歳以降かつ 3 回目より 7 か月以上の間隔で 1 回の合計 4 回の接種が行われる．
- ● Hib ワクチンは，インフルエンザ菌 b 型による感染症をほぼ 100 ％予防する．
- ● Hib ワクチンは，世界 190 か国以上の国で，定期接種として接種が行われている．

小児用肺炎球菌ワクチン

- ◉ 小児用肺炎球菌ワクチンは，肺炎球菌の感染を予防するための不活化ワクチンである．
  - ▶ 乳幼児に髄膜炎を引き起こす細菌としては，肺炎球菌はインフルエンザ菌 b 型について頻度が高い．
  - ▶ 肺炎球菌による髄膜炎も，インフルエンザ菌 b 型による髄膜炎と同様，死亡率が高く，後遺症が残る確率も高い．
  - ▶ 肺炎球菌には，約 90 種類の型が存在する．
- ◉ 小児用肺炎球菌ワクチンは，乳幼児の**髄膜炎予防**を目的としたワク

チンである．
  - ▶肺炎予防が主目的ではない．
- 小児用肺炎球菌ワクチンは，日本では勧奨接種のワクチンに含まれている（10-❶）．
  - ▶生後 2 か月以降にまず 3 回（4～8 週間隔），1 歳以降かつ 3 回目より 2 か月以上の間隔で 1 回の合計 4 回の接種が行われる．
- 現在の小児用肺炎球菌ワクチンは，病原菌として多くみられる 13 種類の型の肺炎球菌に対するワクチンである．
  - ▶小児用肺炎球菌ワクチンにより，すべての肺炎球菌感染症は予防できない．
  - ▶対象とする 13 の型の肺炎球菌による感染症は，高い確率で予防できる．

DPT-IPV ワクチン

- ⦿ジフテリア（D：diphtheria），百日咳（P：pertussis），破傷風（T：tetanus），ポリオ（IPV：不活化ポリオワクチン）の感染を予防するための，四種混合の不活化ワクチンである．
- 日本では，DPT-IPV ワクチンは勧奨接種（定期接種）として接種が行われている．
  - ▶0～2 歳の間に DPT-IPV ワクチンとして計 4 回，11 歳ころに DT ワクチンとして 1 回，接種が行われる（10-❶）．

ジフテリア
- ジフテリアは，ジフテリア菌による感染症である．
  - ▶気道閉塞に伴う**窒息**や**心筋炎**[*6] を起こし，死亡する可能性がある．
  - ▶現在，日本での年間発症は 0，または 0 に近い．
  - ▶海外では，まだ流行がみられる地域がある．
  - ▶日本でも，ワクチン接種率が低下すると，流行する可能性は十分にあるので今後も接種が必要である．

百日咳
- 百日咳は，百日咳菌による感染症である．
  - ▶呼吸器への感染を起こす．
  - ▶乳児が罹患すると，無呼吸発作や呼吸困難から死亡する可能性のある感

染症である．
- ▶最近，大人の百日咳罹患者の増加が指摘されている．
- ⦿大人の百日咳罹患が，乳幼児の感染源となっていることが問題視されている．
- ●DPT-IPV ワクチンは，百日咳感染予防のため，生後3か月以降，なるべく早期に接種を開始するべきである．
  - ▶乳幼児の百日咳罹患を今以上に減らすため，10歳以降の百日咳ワクチン追加接種の必要性が世界的に論議され，接種が広まってきている．

破傷風

- ●破傷風は，破傷風菌による感染症である．
  - ▶破傷風菌は，嫌気性菌とよばれるグループに属し，酸素のない環境を好む．
  - ▶破傷風菌は，日本を含め世界中のあらゆる地域の地中に棲息する．
  - ▶深部に達する外傷を負ったときに，泥などとともに，破傷風菌が侵入すると，破傷風を発症する．
  - ▶日本では，年間100例前後の発症がみられる．
- ●予防には，事前の予防接種が有効である．

ポリオワクチン

- ⦿ポリオウイルスの感染を予防するためのワクチンである．
  - ▶ポリオウイルスの感染によりポリオを発症すると，死亡の可能性もある．
  - ▶ポリオウイルスの感染から回復した後も，永続する麻痺を残すことがある．
  - ▶生ポリオワクチンは日本では2012年まで経口接種で2回，勧奨接種（定期接種）として接種されてきた．
- ⦿不活化ポリオワクチンは注射で4回の接種が必要である．
- ⦿世界保健機関（WHO）は，地球上からポリオをなくす「ポリオ根絶計画」を進行中である．
- ●日本を含むWHO西太平洋地域は，すでにポリオ根絶を達成している．
- ●生ポリオワクチンには，およそ100万人に1人の割合で，ポリオ自然感染の後遺症と類似したワクチン関連麻痺性ポリオ（VAPP）と

よばれる副反応がみられる．
- 先進国を中心にポリオ根絶を達成した地域では，生ポリオワクチンの代わりに不活化ポリオワクチンの定期接種が行われるようになってきている．
- 不活化ポリオワクチンは，ポリオ感染予防効果は生ポリオワクチンに多少劣るものの，VAPPがみられないという長所がある．
- ◉日本では，2012年9月に不活化ポリオワクチンが定期接種に導入された．

BCGワクチン

- ◉乳幼児における，重症の結核感染を予防するための生ワクチンである．
    - ▶乳幼児が結核菌に感染すると，劇症の経過をたどりやすく，死亡する可能性も高い．
- 日本では，生後5〜7か月の間に1回，勧奨接種（定期接種）として接種が行われる（**10-❶**）．
- 大人に対する結核の感染予防効果は，現在，疑問視されている．

MR混合ワクチン（麻疹・風疹混合ワクチン）

- ◉MR混合ワクチンは麻疹ウイルスと風疹ウイルスの感染を予防するための，二種混合の生ワクチンである．
- 麻疹（measles）も風疹（rubella）も，保育所，幼稚園，学校などの集団生活において，きわめて広がりやすい感染症である．
    - ▶麻疹は，きわめて重篤な感染症で，罹患者の1,000人に1人は死亡する．
    - ▶風疹は，感染症自体は重症ではないが，妊娠初期の妊婦が罹患したときに，胎児が心臓や眼，耳などに奇形をもつ先天性風疹症候群を発症することが，大きな問題である．
- MR混合ワクチンは，1歳すぎに1回，小学校就学前の1年間に1回の合計2回，勧奨接種（定期接種）として接種が行われる（**10-❶**）．
    - ▶2回のワクチン接種，さらに各回接種率95％以上を達成すると，社会全

体の免疫状態を高め，個人の発症予防と社会の流行予防にきわめて有益であることが，これまでに実証されている．
- 日本を含むWHO西太平洋地域では，地域内での麻疹排除を目指している．
  - ▶麻疹排除とは，流行がなくなり，地域外から麻疹がもち込まれた場合も二次感染が発生しない状態をいう．

水痘ワクチン

- ◉水痘ワクチンは，水痘帯状疱疹ウイルスの感染を予防するための生ワクチンである．
  - ▶水痘帯状疱疹ウイルスに，生まれて初めて感染したときに発症するのが水痘（みずぼうそう）である．
  - ▶水痘を発症すると，水疱を伴う発疹が出現し，時に発熱がみられることもある．
  - ▶水痘は，多くの人は軽症で経過するが，まれに肺炎や脳炎を発症し，重症化する．
  - ▶大人が水痘に罹患すると，重症化する確率が高くなる．
- 水痘ワクチンは，日本で開発されたワクチンである．
- 水痘ワクチンは，アメリカでは1歳以上の幼児に対し，2回の定期接種が実施されている．
- 水痘ワクチンは，日本では2014年10月より勧奨接種のワクチンに含められた（10-❶）．
  - ▶1歳以上の児に対して2回の接種が行われる．

日本脳炎ワクチン

- ◉日本脳炎ワクチンは，日本脳炎ウイルスの感染を予防するための不活化ワクチンである．
  - ▶日本脳炎ウイルスは，蚊（コガタアカイエカ）の媒介でブタからヒトに感染する．
  - ▶日本脳炎ウイルスは，ヒトからヒトには感染しない．

10-❷ 日本脳炎の発生地域

（国立感染症研究所ホームページより引用
http://www.nih.go.jp/niid/ja/2014-02-19-09-27-24/420-disease-based/na/je.html）

- 日本脳炎は，発症した場合に死亡の確率が高く（20〜40％），生存できた場合も後遺症を残すことが多い（45〜70％）．
  - ▶日本脳炎は，現代の最新の医学をもってしても，有効な治療法が存在しない．
- ヒトからヒトに感染しないにもかかわらず，勧奨接種（定期接種）として全員の接種を目指すのは，発症した際の結果が重大であるためである．
- 日本脳炎ワクチンは，3歳ころに1〜4週の間隔で2回，その1年後に1回の合計3回の接種で基礎免疫が完成する．9歳ころに，さらに1回のブースター接種を行い，終了する（**10-❶**）．
- 日本脳炎の流行地は，日本だけではなく，インドから東南アジア全体にかけてである（**10-❷**）．
  - ▶海外渡航時にも，情況に応じ接種が必要である．

ヒトパピローマウイルスワクチン

- ヒトパピローマウイルスワクチンは，ヒトパピローマウイルスの感染を予防し，子宮頸がんの発病を予防する目的で接種される不活化ワクチンである．
- 子宮頸がんのほぼ100％が，ヒトパピローマウイルスの感染が原因であることが判明している（zur Hausen 教授，2008年ノーベル生理学医学賞受賞）．
  - ▶ 子宮頸がんの発症に関与するヒトパピローマウイルスは，これまでに約15種類が知られている．
  - ▶ 現在日本で接種できるヒトパピローマウイルスワクチンは，この15種のうち，最も頻度の高い2種類（16型，18型）を予防するワクチンである．
- 現在のヒトパピローマウイルスワクチンは，すべての子宮頸がんを予防できない．
  - ▶ 16型，18型の関与する子宮頸がんは，日本における子宮頸がん全体の約60～70％と考えられている．
- ヒトパピローマウイルスワクチンは，すでに感染したウイルスを排除する効果はない．
  - ▶ がん治療のワクチンではなく，あくまでがん予防のためのワクチンである．
- ヒトパピローマウイルスワクチンは，2008年以降，アメリカを含むいくつかの先進国で，10歳前後の女児を対象に定期接種が始まり，その後定期接種国が拡大している．
- ヒトパピローマウイルスワクチンは，日本では2013年4月以降，勧奨接種のワクチンに含まれるようになった（**10-❶**）．
  - ▶ 小学校6年生～高校1年生の女子が定期接種の対象で，接種は3回必要である．

3 勧奨接種以外のワクチン（接種が望ましいもの）

- 日本には，勧奨接種に含まれないワクチンがまだいくつか存在する．

10-❸ 勧奨接種以外のワクチン（接種が望ましいもの）

ワクチン	接種回数	接種年齢	種類
おたふくかぜ	1～2	1歳以上	生ワクチン
インフルエンザ	2～1*	6か月以上	不活化ワクチン
ロタウイルス	2～3	6週～24(32)週	生ワクチン

*13歳未満は2回，13歳以上は1回．

- 一般に，勧奨接種以外のワクチンのうち接種が望ましいワクチンには，おたふくかぜワクチン，インフルエンザワクチン，ロタウイルスワクチンがある（10-❸）．
  - ▶勧奨接種以外のワクチンについては，国は接種費用の補助を行わない．
  - ▶地方自治体（市区町村）の一部は，勧奨接種以外のワクチンでも，ワクチンの必要性に応じ，接種費用を負担している．

おたふくかぜワクチン

- おたふくかぜワクチンは，おたふくかぜウイルス（ムンプスウイルス）の感染を予防するための生ワクチンである．
- おたふくかぜ（ムンプス，流行性耳下腺炎）は，主に子どもが罹患し，耳下腺部の腫脹や発熱がみられる．
  - ▶しばしば無菌性髄膜炎を発症するが，重篤なものではない．
  - ▶後遺症として，難聴（片側が多い）を発症することがある（約1,000人に1人）．
  - ▶大人が罹患すると，精巣炎（男性の20～30％）や卵巣炎（女性の約7％）を発症することがある．
- おたふくかぜワクチンは，日本では勧奨接種のワクチンに含まれていない（10-❸）．
  - ▶全額自己負担で，接種は可能である．
  - ▶1歳以上の児に対して1～2回の接種が行われる．
  - ▶ワクチンの副反応で，無菌性髄膜炎がみられることがあるが，自然感染

- よりも発症頻度は低い（1,000〜2,000人に1人）．
- 多くの先進国では，おたふくかぜワクチンを麻疹ワクチン，風疹ワクチンと混合したMMR混合ワクチンが定期接種のワクチンとして使用されている．

インフルエンザワクチン

- インフルエンザワクチンは，インフルエンザウイルスの感染を予防するための不活化ワクチンである．
  - ▶インフルエンザは，インフルエンザウイルスの感染による，発熱や全身倦怠感が主な症状の「重症なかぜ」様の病気である．
  - ▶インフルエンザウイルスと前出のインフルエンザ菌は，まったく別の病原体である．
- 毎年冬期に流行するインフルエンザは，季節性インフルエンザとよばれる．
  - ▶2008年までの季節性インフルエンザは，Aソ連型（H1N1），A香港型（H3N2），B型（山形系統とビクトリア系統）の4種類が，毎年流行をくり返していた．
- 従来のH1N1インフルエンザウイルスと形（抗原性）が大きく異なる新型のAパンデミック（H1N1）の大流行が，2009年にみられた．
  - ▶パンデミックインフルエンザは，これまでの経験から，30〜40年に1度流行するといわれている．
  - ▶2010年以降の季節性インフルエンザはAパンデミック（H1N1）2009，A香港型（H3N2），B型（山形系統とビクトリア系統）の4種類のいずれかが流行するようになった．
- インフルエンザワクチンの感染予防効果は，一般で50〜70％，子どもではこれよりやや低いともいわれている．
  - ▶ほかの一般のワクチンと比べれば予防効果が劣るものの，それなりの効果はある．
- インフルエンザワクチンは，日本では子どもの勧奨接種のワクチンに含まれていない（10-❸）．

- ▶全額自己負担で，接種は可能である．
- ▶13歳未満は2回接種が必要で，13歳以上は1回の接種でよい．
- ●インフルエンザウイルスは，頻繁に抗原型の変異を起こすため，毎年，流行予測株をもとに新たなワクチンが製造される．
- ▶インフルエンザワクチンは，毎年のワクチン接種が必要である．
- ●インフルエンザワクチンは，アメリカでは6か月以上の乳幼児・小児に対し，定期接種が実施されている．

ロタウイルスワクチン

- ●ロタウイルスワクチンは，ロタウイルスの感染予防，重症化予防のための生ワクチンである．
- ▶ロタウイルスは乳幼児の嘔吐下痢症（胃腸炎）の原因ウイルスの一つで，最も重症化しやすいウイルスである．
- ▶ただし日本国内は医療設備が整っているので，この病気のため死亡することはほとんどない．
- ▶発展途上国では現在もこの胃腸炎で多くの子どもたちが命を失っている．
- ●ロタウイルスワクチンは，日本では勧奨接種のワクチンに含まれていない（10-❸）．
- ▶経口接種のワクチンである．
- ▶接種はワクチンの種類により2～3回必要である．
- ▶生後6週以降で接種を始められる．
- ▶生後6か月，種類によっては8か月までに接種を完了する必要がある．

4 勧奨接種以外のワクチン（状況により接種が望ましいもの）

- ◉国内で生活する限り接種の必要はないが，海外渡航の際に地域によって必要となるワクチンには，A型肝炎ワクチン，狂犬病ワクチン，黄熱ワクチンなどがある（10-❹）．
- ●A型肝炎は，ウイルスに汚染された水や食品を摂取することで発症する．
- ▶感染すると，**急性肝炎**[*7]を発症する．

10-❹ 勧奨接種以外のワクチン
（海外渡航など状況により接種が望ましいもの）

ワクチン	接種回数	接種年齢	種類
A型肝炎	3	1歳以上	不活化ワクチン
狂犬病	3	0歳以上	不活化ワクチン
黄熱	1	9か月以上	生ワクチン

- ▶ まれではあるが，重症化する場合もある（**劇症肝炎**[*7]）．
- ▶ 流行地域は，アジア，アフリカ，中南米と広い．
- ▶ 日本国内での流行はみられないが，海外旅行などにおける感染例は，しばしばみられる．
- ● 狂犬病は，ウイルスに感染した動物に咬まれることで発症する．
  - ▶ イヌだけでなく，ほかの哺乳動物（ネコ，アライグマ，コウモリ，ウマ，ウシ，マングース，キツネなど）から感染することも多い．
  - ▶ 発症すると，ほぼ100％死亡する．
  - ▶ 流行は，世界中ほとんどの地域でみられる．なお，日本国内での感染は長期間みられていない．
- ● 黄熱は，ウイルスを媒介する蚊（主にネッタイシマカ）に刺されることで発症する．
  - ▶ 罹患すると，死亡率が50％以上にもなる重症の感染症である．
  - ▶ 主な流行地は，アフリカと中南米である．

用語解説

*1 **生ワクチン**

病原性を減らした生きた病原体を使用したワクチン．

*2 **不活化ワクチン**

病原体や病原体がつくる毒素・蛋白抗原などを分解し，感染・増殖する力をなくしたものを使用したワクチン．

*3 **ブースター接種**

過去に獲得した免疫能を，同じ抗原（ワクチン）で再び刺激し，より強く，長期に持続する免疫をつくるための接種．

*4 **B型肝炎ウイルスキャリア**

6か月以上にわたってB型肝炎ウイルスが検出される，ウイルス保持者．

*5 **急性喉頭蓋炎**

急性喉頭蓋炎は，気管の入り口である喉頭蓋が腫れて狭くなるため，窒息により呼吸停止，心停止が起こる可能性のある，危険な病気である．ほとんどはインフルエンザ菌b型が原因．

*6 **心筋炎**

心筋（心臓の筋肉）に起こる炎症．ウイルスが原因であることが多い（ウイルス性心筋炎）．心臓の機能が低下し，重篤化することが多い．

*7 **急性肝炎・劇症肝炎**

肝炎ウイルスに感染することにより，肝臓に急性炎症を起こす病気を急性肝炎という．肝炎ウイルス以外のウイルス感染や，薬物，アルコールによって起こることも一部ある．
劇症肝炎は，急性肝炎のうち最も重症で，肝機能不全を起こし死亡する可能性も高い．

11章 免疫・アレルギーと健康

1 免疫

- 免疫とは，身体がもっている，病気（疫病・感染症）を免れるはたらきやしくみのことをいう．
  - たとえば，麻疹（はしか）に一度かかったら二度とかからないといった現象は，経験的にかなり昔から知られていた．
  - しかし，免疫のしくみの科学的解明が進んだのは，20世紀後半以降である．
- 免疫の目的は，身体に侵入する病原体や異物の排除である．
  - 病原体・異物の排除のために最も重要な点は，「自分（自己）」と「自分以外（非自己）」を区別することである．
- 免疫には，**先天性免疫**[*1]と**後天性免疫**[*2]（または獲得免疫）の2種類がある．
  - 身体の免疫力は，先天性免疫と後天性免疫の両方から成り立っている．
- 免疫に関与する器官には，リンパ節，扁桃，アデノイド，脾臓，胸腺，骨髄などがある．
- 免疫に関与する細胞には，**好中球**[*3]，**リンパ球**[*4]（Bリンパ球，Tリンパ球），**マクロファージ**[*5]，**樹状細胞**[*6]などがある．

2 アレルギー

- さまざまな異物の成分に対して身体の免疫機構が過剰に反応し，その結果として特有の症状が出現する病態を，アレルギーとよぶ．

11-❶ 代表的なアレルゲン
- 家の中の異物：ダニ，ハウスダスト（ホコリ）
- 食品：鶏卵，牛乳，小麦，大豆，ピーナッツなど
- 動物の毛，フケ：イヌ，ネコなど
- 植物の花粉：スギ，ヒノキ，ブタクサなどの雑草類

- アレルギーの原因となる異物の成分を，抗原またはアレルゲンとよぶ．
- 環境中のほとんどすべての物質は，アレルゲンとなる可能性がある．
- 11-❶に示すものは，アレルゲンとして最もよくみられるものである．
- アレルギーの状態が成立すると，特定の異物の刺激により血液中に**IgE 抗体**[*7]が放出され，異物と反応する．
  - ▶ IgE 抗体が異物と反応すると，免疫に関与する細胞の一種である**肥満細胞**[*8]から，**ヒスタミン**[*9]や**ロイコトリエン**[*9]といった化学伝達物質が多量に放出される．
  - ▶ ヒスタミンやロイコトリエンが体内で作用することにより，平滑筋の収縮（喘息発作やアナフィラキシー時の気管支収縮），血管拡張と血管の透過性の亢進，組織のむくみ（浮腫：喘息発作やアナフィラキシー時の気管支粘膜の腫れ．これに伴う気道の縮小，呼吸困難やアレルギー性鼻炎の鼻閉）などが出現する．

3 アトピー性皮膚炎

- アトピー性皮膚炎にはアレルギーが関与しており，主な症状として湿疹，皮膚炎を呈する．
- 湿疹は，首周囲，肘，手首，膝の裏，足首などの関節周辺で目立つことが多い（11-❷）．
- 湿疹は，赤くなったり，皮膚からしみ出した液でじゅくじゅくしたり，乾いてがさがさしたり，色素沈着でやや黒ずんだりと，いろいろな症状がみられる．
- 湿疹はかゆみがきわめて強いため，患児は出血するほどかきむしる

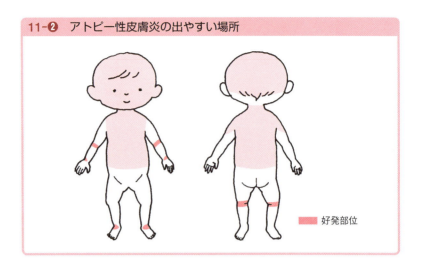

11-❷ アトピー性皮膚炎の出やすい場所

■ 好発部位

ことが多く，このかき傷のために，湿疹はさらに悪化するという悪循環に陥る．
- 発病は，乳児期から幼児期が多い．
  - ▶しかしなかには，成人になってから発病する場合もある．
  - ▶発病してすぐに，アトピー性皮膚炎かどうかを決めることはできない．
  - ▶乳幼児期に発病したアトピー性皮膚炎は，自然に治るものも多い．
- アトピー性皮膚炎の患児では，血液検査で，食品をはじめ，ホコリ，ダニ，花粉，動物の毛など，環境中のさまざまな物質に対するアレルギー反応が見いだされることが多い．
  - ▶血液検査でアレルゲンと証明される物質以外にも，そのほか多くの未解明の要素，要因の関与が想定されている．
  - ▶血液検査で証明されたアレルゲンとの接触を除去するだけで，症状の改善が得られることは，むしろ少ない．
- アトピー性皮膚炎の病勢は，月単位では変わらないが，年単位では変化する．
- 治療の目的は，皮膚炎を抑え，かゆみを除くことである．
  - ▶種々のステロイドや非ステロイドの軟膏が治療に用いられる．

11-❸ 気管支喘息発作時の気道の変化（断面図）

正常な気道

喘息発作時の気道

- ▶ さまざまな民間療法が知られているが，有効性が証明されたものは存在しない．
- ● アトピー性皮膚炎は，しばしば家族内発症がみられる．
  - ▶ ただし，遺伝病ではない．

4 気管支喘息

- ◉ 気管支喘息は，気管支の空気の通り道（これを気道という）の狭窄に伴う呼吸困難がみられる病気である．
  - ▶ 狭窄は，気道を取り囲む平滑筋の収縮や，気道の粘膜のむくみ（浮腫）により起こる．
- ● 気道の狭窄は，常時存在するのではない．
  - ▶ さまざまな要因の影響から，あるとき突然に気道の狭窄が起こり，治療もしくは自然の経過で，数時間ないし数日の単位で落ち着いていく．
  - ▶ 気道の狭窄の出現した状況を気管支喘息発作とよぶ．
- ● 気道の狭窄は，身体における一連のアレルギー反応により起こっている．
  - ▶ 肥満細胞から分泌される化学伝達物質（ヒスタミン，ロイコトリエンなど）の作用により，気管支の平滑筋が収縮し，気道の粘膜がむくんで肥厚し，気道が狭くなり呼吸が苦しくなる（**11-❸**）．
- ◉ 気管支喘息発作は，低気圧の通過など，天候が崩れるときや，夜間にとくに起こりやすい．
- ● 気管支喘息発作時には，**11-❹**のような症状が認められる．

11-❹ 気管支喘息発作の症状

- 呼吸数の増加（多呼吸）
- 荒い，大きな呼吸（陥没呼吸，鼻翼呼吸）
- 呼吸時のヒューヒューとした音（喘鳴）
- 元気がない
- 会話が困難（余裕がない）
- 座って呼吸する（起坐呼吸：横になるともっと苦しいため．右図）
- 顔色が悪くなる（低酸素血症のため，チアノーゼ）

気管支喘息発作時の起坐呼吸

11-❺ 気管支喘息発作の対処法

- 気管支拡張薬の投与（家庭または病院で）
- 副腎皮質ステロイド薬の投与（家庭または病院で）
- 酸素投与（病院で）
- 水分補給・輸液（家庭または病院で）

- 気管支喘息発作に対しては，**11-❺**のような対処を行う．
  - ただし，家庭での対処で改善が難しい場合は，医療機関で治療する．

5 花粉症

- 花粉との接触で出現するアレルギー疾患・過敏症を，花粉症とよぶ．
  - 花粉症は，病気の誘因に注目した病名である．
- 日本における花粉症の代表的なアレルゲンは，スギ，ヒノキである．
  - 戦後，スギの大規模な植林の結果，全国で大量のスギ花粉がいっせいに飛散するようになったことが原因の一つとなっている．
  - そのほかの花粉症のアレルゲンでは，イネ科の雑草類（カモガヤなど，春に多い）やブタクサ（秋に多い）などがある．
- 花粉症の主な病態は，**アレルギー性鼻炎**[*10]と**アレルギー性結膜炎**[*11]である．

11-❻ 食物アレルギーの代表的アレルゲン
• 鶏卵　• ソバ　• 肉類 • 牛乳　• ピーナッツ　• キウイ • 小麦　• 魚類 • 大豆　• 貝類

11-❼ 食物アレルギーの症状
• 腹痛，吐き気，嘔吐，下痢などの消化器症状 • 鼻汁の増加，呼吸時のヒューヒューとした音（喘鳴），呼吸困難などの呼吸器症状 • じんま疹などの皮膚症状

- 毎年，それぞれの花粉の飛散時期になると発症し，飛散が終了すると症状も消失する．

6 食物アレルギー

- ◉摂取した食物の成分に反応して出現するアレルギー疾患・過敏症を，食物アレルギーとよぶ．
- 食物アレルギーの代表的なアレルゲンには，**11-❻**のようなものがある．
  - ▶ ほとんどすべての食品は，程度の差はあるものの，アレルギーの原因となる可能性がある．
- 食物アレルギーの主な症状には，**11-❼**のようなものがある．
- 以前は食品の除去が治療の中心であったが，最近は，極少量ずつ食品を与え慣れさせていく治療が注目されている．

7 アナフィラキシー

- 体内に摂取された，または侵入した異物との反応により発症する，急激に進行する過敏反応をアナフィラキシーとよぶ．
- ◉アナフィラキシー発症のメカニズムは，基本的にはほかのアレルギー疾患と同一で，違いは，その進行速度と重症度である．
  - ▶ 原因抗原（アレルゲン）の摂取から短時間（数分から1～2時間以内）で，症状が発現する．
  - ▶ 全身レベルで，多量の化学伝達物質（ヒスタミン，ロイコトリエンなど）が放出される．

- ▶皮膚では，じんま疹がしばしば出現する．
- ▶呼吸器系では，急激な気道の狭窄から，咳や呼吸困難がしばしば出現する．
- ▶循環器系では，血管透過性の亢進から，水分が血管内から周辺組織に移動し，血圧の低下やショックを呈することがある．

● ショック症状が強いときには，アナフィラキシーのショック状態を強調してアナフィラキシーショックとよばれることもある．
- ▶アナフィラキシーは，生命に危険が及ぶ可能性もある重篤な病態である．

● 小児のアナフィラキシー発症のきっかけとして多いのは，原因食品の摂取やハチに刺されることなどで，症状は急速に進行する．

● アナフィラキシーショックを発症したときには，ショック症状の改善にアドレナリン（エピネフリン）の注射がきわめて有効である．
- ▶緊急時には，一刻も早く処置を行う必要があるため，医療の知識のない一般の人でもアドレナリンの注射ができるよう工夫された「エピペン®」というシリンジ入りアドレナリン製剤が実用化されている．
- ▶アナフィラキシーの危険が予測される場合には，「エピペン®」の携行が推奨されている．

用語解説

*1 先天性免疫

生まれたときから身体に備わっている，感染の防護機能のこと．後天性免疫の獲得にも重要な役割を担っている．

*2 後天性免疫

初めて遭遇した病原体と免疫系との反応のなかで形成される防御機能のことで，2回目以降の同じ病原体との遭遇時に有効に機能する（二度なし現象）．

*3 好中球

血液中の白血球の成分の一つ．白血球の約50％は好中球である．主な役割は，細菌感染が起こったときに感染の場所に集まり，細菌を貪食（呑み込む）して殺菌することである．

*4 リンパ球

血液中の白血球の成分の一つ．好中球の次に多く含まれる．ただし幼児では好中球より多いのがふつうである．リンパ球はBリンパ球とTリンパ球の2種類に分かれる．IgGなどの抗体を産生したり病原体を記憶したりなどすることで身体の免疫反応に中心的な役割を担う，生体防御に重要な細胞である．

*5 マクロファージ

組織中（血管の外の場所）に存在する，免疫に関与する重要な細胞．好中球と同じように細菌などの異物を貪食・消化する．しかし，ただ貪食するだけでなく，その異物の抗原情報をリンパ球に伝え，リンパ球が免疫反応を開始するのを仲介する重要な役割を担っている．

*6 樹状細胞

組織中（血管の外の場所）に存在する，マクロファージとほぼ同じ働きをする免疫反応で重要な役割を担っている細胞．細胞の表面に木の枝状の突起がみられることが名前の由来となっている．マクロファージのような食作用はほとんどみられないが，異物の抗原情報をリンパ球に伝え，リンパ球が免疫反応を開始するのを仲介する．

*7 IgE 抗体

免疫グロブリンの一種である．免疫グロブリンには IgG，IgA，IgE，IgM，IgD の 5 種類がある．IgE 抗体が体内で増加しアレルゲンと結合すると，アレルギー症状が引き起こされる．特定の物質に反応する血液中の IgE 抗体を調べることで，アレルゲンを特定することができる場合もある．

*8 肥満細胞（マスト細胞ともいう）

体内に広く存在する細胞で，細胞体にさまざまな化学伝達物質を含んだ顆粒を有する．体内にアレルゲンが侵入すると顆粒を放出し（脱顆粒），アレルギー反応や炎症反応を引き起こす．

*9 ヒスタミン，ロイコトリエン

肥満細胞から放出され，アレルギー反応や炎症反応を引き起こす物質．平滑筋収縮や血管透過性亢進作用を示し，喘息や鼻閉など，さまざまな症状の原因となる．

*10 アレルギー性鼻炎

アレルギーが原因で起こる鼻炎．主な症状は，さらさらした鼻汁，鼻閉，くしゃみなどである．

*11 アレルギー性結膜炎

アレルギーが原因で起こる結膜炎．主な症状は，目（まぶたの内側の結膜）のかゆみと目（結膜）の充血である．

12章 子どもの重要な病気

1 急性の病気

乳幼児突然死症候群

- ⦿乳幼児突然死症候群は，特別な病気をもつと思われていなかった乳幼児が，突然死亡する病気である．
  - ▶乳幼児突然死症候群は，事故ではなく病気である．
- ●患児の多くは6か月未満の乳児である．
- ●原因は不明で，死後の病理解剖でも，死因はつきとめられない．
  - ▶睡眠状態からの覚醒の反応，無呼吸状態からの回復の反応の異常が原因である可能性が指摘されている．
- ⦿危険因子として，人工乳による栄養，低出生体重児，周囲での喫煙，早産児，うつぶせ寝が指摘されている．
  - ▶まだ寝返りのできない乳児を，うつぶせ寝にしてはいけない．

川崎病

- ⦿川崎病は，発熱，発疹，眼球結膜（白目）の充血，口唇の赤みなどがみられる病気である．
- ●最近では，国内で毎年およそ1万人の子どもがかかっている．
- ●原因は不明である．
- ●発熱は，1週間またはそれ以上持続する．
- ●大部分は，1〜2週間の経過で，後遺症なく治る．

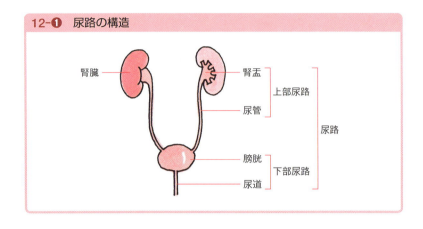

12-❶ 尿路の構造

▶しかし，一部で心臓の冠動脈に異常（冠動脈瘤）を残すことがある．
●後遺症のない場合は，その後の生活において，運動制限などは一切ない．
●冠動脈瘤が残る場合は，定期的な検査が必要となる．

尿路感染症

●尿は腎臓でつくられ，腎盂，尿管を通って膀胱に蓄積され，尿道を通って排泄される（**12-❶**）．
◉**尿路**[*1]の細菌またはウイルスによる感染症を，尿路感染症とよぶ．
●尿路感染症の主な症状は，排尿回数の増加（頻尿），尿の濁り（膿尿），排尿時の痛み（排尿痛）である（ただし，これは成人や学童の場合）．
●尿路感染症では，発熱を伴うことも多い．
◉乳幼児の尿路感染症では，発熱と不きげん以外の症状は，通常，気づかれない．
　▶おむつをしている乳幼児では，頻尿と膿尿は，通常，気づかれない．
　▶乳幼児では，排尿痛も訴えることができない．
●**上部尿路**[*2]感染症は腎盂腎炎，**下部尿路**[*3]感染症は膀胱炎ともよばれる．

- ▶ 腎盂腎炎は，治療のため入院が必要となることも多い．
- ▶ 膀胱炎は適切に治療すれば，比較的簡単に治ることが多い．
- ●細菌性の尿路感染症は，抗菌薬の投与で治る．
  - ▶ ウイルス性の膀胱炎は，自然の経過（身体の免疫力）で治る．

熱性けいれん

- ◉熱性けいれんは，発熱に伴って，**けいれん**[*4]がみられる病気である．
  - ▶ 筋肉の収縮のため手足の筋肉が固く突っ張る（強直性けいれん），またはびくっぴくっとリズミカルに収縮と弛緩をくり返す（間代性けいれん）場合が多い．
  - ▶ けいれんが起きているときは，意識を消失していることが多い．
- ◉熱性けいれんは，生後半年から6歳くらいまでの乳幼児にみられる．
  - ▶ 7歳以降は，みられなくなることが多い．
- ●熱性けいれんは，短時間（数分）で止まることが多い．
  - ▶ けいれんが10分間以上持続するときは，薬を使って止める必要がある．
- ●原因は不明なものが多い．
  - ▶ 一部で，脳・神経の電気信号の流れを調節するタンパクの遺伝子異常が原因となることが証明されている．

熱中症

- ◉熱中症は，気温の高い環境における身体の適応障害により起きる病態である．
  - ▶ 日中，車中に放置された乳幼児の熱中症による死亡事故は，毎年起こっている．
  - ▶ 運動選手が，夏場にトレーニング中，熱中症に陥る事故も，毎年発生している．
- ●高温多湿の環境では，熱中症の危険が常に存在する．
- ●気温30℃以上の高温環境下での運動はとても厳しいもので，避けるようにするのが常識である．

12-❷ 熱中症の病態

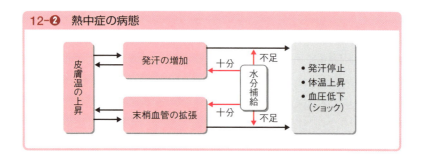

12-❸ 熱中症の主な症状

- めまい
- 頭痛
- 吐き気
- 倦怠感
- 意識障害

- 熱暑環境では，身体は体温上昇の危険にさらされる．
- 熱暑環境では，体温上昇を防ぐため，発汗が増加する（12-❷）．
  ▶ 発汗を維持するためには，十分な水分補給が必要である．
  ▶ 熱暑環境下の水分補給は，イオン飲料がよい．
  ▶ 通常の水分補給は，イオン飲料でなくて，ふつうの水でよい．
    ＊日常的にイオン飲料をとっていると，乳歯は虫歯になりやすい．
- 熱を逃がすため，体表付近の血管が拡張する．
  ▶ 発汗の増加と血管の拡張により，必要水分量が飛躍的に増加する．
- 水分不足になると，循環系の破綻が起きる．
  ▶ 発汗が停止し，体温が急上昇する．
  ▶ 全身の血管が拡張するため**循環血液量**[*5]が相対的に減少し，その結果血圧が低下し，心停止に至る．
- 熱中症では，12-❸のような症状がみられる．
- ⦿ 熱中症は，死と隣り合わせの病気である．
- 熱中症は，予防することが最も重要である．

2 慢性の病気

慢性腎炎

- ⦿慢性腎炎は，徐々に腎臓の働きが低下していく病気である．
- 最初のうちは自覚症状がなく，尿検査で初めて気づかれる．
  - ▶尿検査で血尿やタンパク尿がみられることが多い．
  - ▶慢性腎炎の発見を主な目的として学校検尿とよばれる集団検診が行われている．
- 根本的な治療法はない．
- 治療の中心は，病気の進行を可能な限り遅くし，タンパク尿によるタンパクの喪失を極力抑えることである．
- 治療のため，副腎皮質ステロイド薬などの投与と，生活上の制限（運動制限や食事制限など）が必要に応じて行われる．
  - ▶小学生，中学生，高校生で運動の制限が必要な場合は，担当の医師より，学校生活管理指導表とよばれる用紙が交付され，これを学校に提出する．

成長ホルモン分泌不全性低身長症

- 脳の下垂体という臓器からは，身長の正常な伸びに不可欠な成長ホルモンが分泌され，血流により全身に運ばれ作用している．
- ⦿成長ホルモン分泌不全性低身長症では，下垂体からの成長ホルモンの分泌が低下するため，身長が伸びにくく，低身長になる．
- そのため，成人したときの身長が極端に低くなる．
- 成人後の身長を多少なりとも伸ばす目的で，患児に対しては，成長ホルモンの補充療法が行われる．
  - ▶成長ホルモンは，ほぼ毎日1回，自己注射で投与される．

てんかん

- てんかん発作は，大脳の神経細胞が突然，異常放電を起こす病気である．

- ▶異常放電に伴い，意思とは無関係な運動，感覚などがみられる．
- ▶異常放電に伴い，意識を消失することが多い．
- ▶運動の異常として，けいれんがみられることが多い．
  - ＊突然の脱力，突然歩き回る，口を咬むように動かすなど，いろいろなかたちのけいれんがある．
- ⦿てんかん発作がときどきみられる慢性の病気を，てんかんとよぶ．
- ●てんかんは，原因が不明なものが多い．
  - ▶先天性に発症するものも，一部存在する．
  - ▶外傷後や脳腫瘍の発症，頭の手術後に，てんかんを発症する場合もある．
- ●日常生活上，てんかん発作ができるだけ起きないよう，抗けいれん薬の内服でコントロールが試みられる．
  - ▶どの程度コントロールできるかは，個人差が大きい．

白血病

- ⦿白血病は，血液の白血球のもととなる幹細胞が腫瘍化して起きる病気である．
  - ▶白血球は，顆粒球とリンパ球に分かれる．
  - ▶腫瘍化した幹細胞の系統により，白血病は骨髄性白血病（顆粒球系）とリンパ性白血病（リンパ球系）に分けられる．
- ●白血病は，病態からは，急性白血病と慢性白血病に分けられる．
  - ▶小児の白血病の大部分は，急性白血病である．
- ●白血病の治療は，主に薬剤（化学療法）が用いられる．
  - ▶化学療法は長期にわたり，くり返し続けられる．
    - ＊入退院をくり返すことが多い．
  - ▶必要に応じ，放射線治療が併用される．
  - ▶必要に応じ，骨髄移植が併用される．
- ●治療により治癒したあとも，時に再発がみられることがある．
- ●全般に，小児の白血病の治療成績は向上がめざましい．
  - ▶病型にもよるが，完全に治るケースも多くなっている．

難聴

- ⦿ 先天性の難聴は，およそ出生1,000人に1人の割合でみられる．
- ● 難聴といっても，完全に聞こえないことはまれで，補聴器を使用すれば聞こえる場合が多い．
- ⦿ 先天性の難聴は，早期発見がたいへん重要である．
- ● ことばを話すことができるようになるためには，早期から（できれば1歳くらいまでに）周囲の会話が聞こえる状態にすることが必須である．
  - ▶ ことばを覚えることができる時期には，限界がある．
  - ▶ 3歳以降でことばが聞こえるようになっても，ことばの発声を覚えることは，通常，困難である（いわゆる，ろうあ者となる）．
- ● 先天性の難聴は発見が困難であり，注意深い観察が必要である．
  - ▶ 難聴のある乳幼児は，視覚でそれを補おうとしているため，一見ことばに反応しているようにみえることが多い．
- ● 一部の医療機関では，簡易型の機器を使った新生児の聴力検査が実施されている．

先天性心疾患

- ⦿ 先天性心疾患は，心臓およびそれにつながる血管の構造・形に，生まれつき異常（奇形）をもつ病気である．
  - ▶ 構造や形の異常はさまざまで，分類され，それぞれ名前がつけられている．
- ● 正常な心臓は4つの部屋に分かれ，それぞれ右房（右心房），右室（右心室），左房（左心房），左室（左心室）とよばれる（**12-❹**）．
  - ▶ 正常な右房と右室の間，左房と左室の間にはそれぞれ弁があり，血液が一方向（心房→心室）にしか流れないようになっている．
  - ▶ 正常な右房と左房の間，右室と左室の間はそれぞれ壁で隔てられており（心房中隔，心室中隔），血液が行き来しないようになっている．
- ● 心臓は，全身に血液を循環させるポンプとしてのはたらきをもつ．
  - ▶ 全身から戻った血液を，肺に送り出す（右房と右室）．

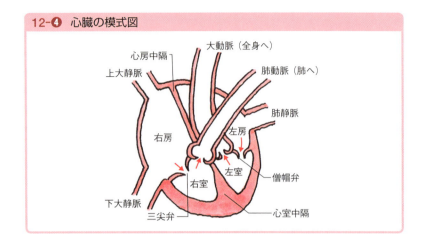

12-❹ 心臓の模式図

> ▶肺で十分に酸素化されて戻った血液を，全身に送り出す（左房と左室）．
- 先天性心疾患の子どもは，約100人に1人の頻度で生まれる．

病態
- 心室中隔欠損症は，心室中隔に生まれつき穴が開いている病気である．
  > ▶先天性心疾患のなかで，最も多くみられる．
- 心房中隔欠損症は，心房中隔に生まれつき穴が開いている病気である．
  > ▶先天性心疾患のなかで，2番目に多くみられる．
- 心室中隔欠損症・心房中隔欠損症ともに，肺から戻ってきた血液が中隔の穴を通って再び肺に戻ることになり，心臓の負荷が増加した状態が持続する．
  > ▶再び肺に戻る血液の量が多いと，徐々に心臓のはたらきが落ちていく．
- ほかのタイプの先天性心疾患では，全身から戻ってきた血液の一部が肺に行くことなく，酸素を受け取らないまま全身に再び流れていくものがある．
  > ▶この場合，全身をめぐる血液の酸素濃度が低くなり，その結果，組織に障害を生じる．

治療・生活上の注意

- 先天性心疾患では，血液循環の状態を改善するため，手術が行われることが多い．
  - ▶ 手術の結果，日常生活上，とくに制限がなくなることも多い．
  - ▶ しかし，病気の種類によっては，手術後も心臓の機能の改善が限定的で，日常生活上の制約が持続する場合もある．
  - ▶ 逆に程度の軽いときは，手術は行われない．
- 心臓の機能に問題が持続しているときは，病気の重症度に応じて，運動の制限，薬の内服，酸素の投与などが継続される．
  - ▶ 小学生，中学生，高校生で，運動の制限が必要な場合は，担当の医師より学校生活管理指導表とよばれる用紙が交付され，これを学校に提出する．

慢性肺疾患

- 小児の慢性肺疾患の多くは，生後すぐに発症した呼吸障害の治療の際に，人工呼吸器を必要としたことなどから発病する．
  - ▶ 早産児，とくに在胎35週未満で出生した早産児は，肺の構造や肺胞を拡張するのに必要な**サーファクタント**[*6]分泌能が未成熟なことから，呼吸障害をきたすことが多い．
  - ▶ 正期産児でも，出生時に**新生児仮死**[*7]を伴ったり，**胎便**[*8]の吸引がみられた場合は，同じく出生直後に呼吸困難をきたしやすい．
  - ▶ 新生児の重症の呼吸障害は，人工呼吸器の助けなしに救命は困難である．
  - ▶ 構造上未熟で脆弱な早産児・新生児の肺は，人工呼吸器の使用によりダメージを受けやすい．

病態

- 同じ病名の慢性肺疾患と診断された子どもでも，軽症から重症まで，その程度はさまざまである．
  - ▶ 重症の場合は，日常生活上もある程度の酸素の吸入を必要としたり，なかには家庭でも人工呼吸器の使用を必要とする場合もある．
  - ▶ 軽症の場合は，酸素の吸入も必要とせず，ほぼふつうの生活が可能である．
- 慢性肺疾患は，年単位で徐々に改善する場合もあるが，一方で，時

12-❺ 脳性麻痺の原因

出生前	胎内感染, 胎盤機能不全, 脳血管障害, 遺伝性など
出生時	無酸素症, 脳出血, 脳循環障害など
出生後	重症黄疸, 脳出血, 頭蓋内感染症など

間が経過してもまったく改善しない場合もある.

脳性麻痺

- 脳性麻痺とは, 脳の発育期に起こった不可逆性の脳障害のことをいう.
  - ▶多くは, 胎児期から新生児期に発症する.
  - ▶脳に生じた病変は, 非進行性である.
    - ＊時間とともに悪化していくようなものではない.
- 脳性麻痺の原因は, 12-❺のようにさまざまである.
- 症状は, 運動系の機能障害である.
- 多くは3歳までに発症する.
- 75％は知的障害も伴うが, 25％は知的に正常である.

病態
- 脳性麻痺は, いくつかの病型に分けられている.
  - ▶アテトーゼ型, 強直型が代表的である.
- アテトーゼ型は, 自分の意思とは無関係の, 身体がねじれるようなゆっくりした動きが持続するのが特徴である.
- 強直型は, 筋肉の緊張が強く, 身体を硬くしているのが特徴である.
  - ▶片側の手足だけにみられる場合は, 片麻痺とよぶ.
  - ▶両方の手足にみられる場合は, 四肢麻痺とよぶ.

療育
- 麻痺で失った機能を残された機能で補い, できるだけ独力で日常生活を送ることができるよう訓練が行われる.
  - ▶機能を失った部分自体の機能を回復することは, 現在の医学では困難である.

用語解説

*1 尿路

腎盂, 尿管, 膀胱, 尿道を合わせた名称.

*2 上部尿路

腎盂と尿管のこと.

*3 下部尿路

膀胱と尿道のこと.

*4 けいれん

発作的に起こる, 意思とは無関係の自動的な筋肉の収縮のこと (p.86 参照).

*5 循環血液量

全身の血管内にある血液の量のこと.

*6 サーファクタント

肺胞の表面を覆う脂質とタンパク質からなる物質のこと. 呼吸運動に欠かせない. 在胎 34〜35 週ごろから分泌されるようになる.

*7 新生児仮死

出生直後に呼吸循環動態の移行が障害された状態のこと. 出生後の呼吸の開始が遅れるため, 酸素欠乏症などに陥り, 死亡したり, 脳に障害をきたすこともある.

*8 胎便

胎児の腸の中に蓄積された糞便. 通常, 出生から 24 時間以内に排泄される.
子宮内で排泄された胎便で汚れた羊水を胎児が吸い込むと, 肺炎や呼吸障害を引き起こす (胎便吸引症候群).

13章 子どもの心と健康

1 発達とは

- 子どもの発達は，運動発達と精神発達，および生理機能の発達の3つに分けられる（3章参照）．
- 運動発達と精神発達は，脳・神経系の発達に伴う現象である．
  - ▶ ヒトが生まれたとき，すべての臓器のなかで脳・神経系が最も未熟である．
  - ▶ 未熟な脳・神経系が徐々に成熟していく過程がすなわち運動発達と精神発達である．
- 運動発達は目でとらえることができるため，誰の目にも容易に確認できる．
  - ▶ 運動発達の異常は母親が最初に気づくことが多い．
- 精神発達は目で見えない部分がほとんどで，内容も複雑・微妙である．このため精神発達の異常は気づかれにくい．
  - ▶ 精神発達の異常は母親にはまったく気づかれないことも多い．
- 生理機能の発達は，ほとんどが脳・神経系以外の諸臓器の発達に伴う現象である．

2 発達障害

- 発達障害というときは通常，精神発達の障害・遅れのことをいう．
  - ▶ 運動発達の障害・遅れは運動発達遅滞とよばれ，いわゆる発達障害には通常含まれない．

13-❶ 通常の精神発達の経過

	言語発達	社会的発達
2か月	喃語	あやすと笑う
6か月		人見知りをする
1歳	単語をまねる	「ちょうだい」に反応する
1歳6か月	意味のある単語を話す	
2歳	2語文を話す	ままごと遊びをする
3歳	会話ができる	
4歳		共同遊びができる
5歳		着衣ができる

- ▶生理機能の発達障害に遭遇することは通常ない．
- ●精神発達に含まれる能力には全般的な知能のほかに，周囲の人とのコミュニケーション能力，協調性，あるいは計算力や識字力などの部分的知能も含まれる．
- ●精神発達は本来，複雑な現象であるが，乳幼児期の精神発達の代表として言語発達と社会的発達からおおまかにとらえることが可能である（13-❶）．
- ●運動発達にも幅がみられるように（3-❶），精神発達にも幅がみられる．
  - ▶言語発達も社会的発達も，1つのことができるようになる年齢の幅は運動発達以上に広い．
  - ▶言語発達または社会的発達に何らかの遅れを認めても，それを発達障害にすぐに結びつけることは難しい．
- ●精神発達の障害といっても，障害の程度には個人差がある．
  - ▶発達障害はあるなしの2つではなく，その中間の発達障害が連続的に存在する．
  - ▶発達障害の程度が軽いほど，その発達障害は周囲に気づかれにくくなる．
- ●発達障害のなかでもとくに障害の程度が軽いものは早期の診断が難しい．

3 発達障害のいろいろ

発達障害の種類

- 発達障害には大きく分けて以下の4つがある．
    ① 自閉症スペクトラム障害（広汎性発達障害）
        ▶ 自閉症
        ▶ 高機能自閉症（アスペルガー〈Asperger〉症候群）
    ② 注意欠陥多動性障害（ADHD）
    ③ 学習障害
    ④ 精神遅滞
- ①〜④それぞれにおいて障害の程度には個人差がある．
- ①〜④の組み合わせがしばしばみられる．
- このため実際に遭遇する発達障害の病態は複雑，十人十色である．

自閉症スペクトラム障害（広汎性発達障害）

- 周囲とのコミュニケーション（意思伝達）の障害がみられる．
    ▶ 言語によるコミュニケーションの障害
    ▶ 言語以外の手段によるコミュニケーションの障害（いわゆる「空気が読めない」）
    ▶ 周囲とのコミュニケーションがとれないという意味で「自閉」という名称が生まれた．
- 対人関係の障害がみられる．
- **常同行動**[*1]がみられることがある．
- 約75％で知的障害がみられる．
    ▶ 一方，知的に正常または知的に優れていることもある．
- 自閉傾向があっても，知的能力は劣るものから優れたものまで幅広いため，「自閉症**スペクトラム**[*2]障害」との呼び名が現在は使われている．
    ▶ 知的障害を伴わない場合，一般に「高機能自閉症」，または「アスペルガ

13-❷ 注意欠陥多動性障害の特徴

不注意性	多動性	衝動性
・1つのことに集中できない． ・授業中ぼんやりしていることが多い． ・呼びかけに気づかない． ・忘れ物をよくする．	・教室などで，じっと座っていられない． ・いつもそわそわしている．走り回る． ・高いところに昇る． ・しゃべりすぎる． ・すぐに迷子になる． ・落ち着きがない．	・順番を待つことができない． ・質問が終わる前に答えてしまう． ・他人の邪魔をする．

―症候群」とよばれる．
- 1,000人に1人くらいの頻度でみられる．
- 原因は不明であるが，何らかの先天的な脳の機能・発達異常に伴うものと考えられている．

注意欠陥多動性障害（ADHD）

- 不注意性と多動性の両方の特徴がみられる（**13-❷**）．
  ▶ 不注意性と多動性の程度は一人一人さまざまである．
- 100人に1～3人くらいの頻度でみられる．
- 男児に多くみられる．
- 原因は何らかの先天的な脳の発達異常・機能異常に伴うものと考えられている．
  ▶ 以前はしつけや教育の問題と考えられていた．
- 治療や適切な対応により改善が期待できる．
  ▶ 薬による治療とカウンセリング，**行動療法**[*3] などで改善が期待できる．
  ▶ 適切な診断とそれに続く対応が重要である．
- しつけの問題と誤解されるとしばしば虐待につながり，状況は悪化の一途をたどる．

学習障害

- 特定の科目の学習過程において障害がみられる．
  - ▶ 読字障害：文章を読んでも意味が理解できない．
  - ▶ 識字障害：考えていることを文字で書くことができない．漢字が書けない．形の似た字の区別ができない．
  - ▶ 計算障害：計算ができない．
- 障害はその能力の欠如が原因で，勉強やくり返しの練習で克服できるものではない．
- 障害のみられる特定の科目以外では全般として学習能力は正常，あるいは優れていることすらある．
- 学習面以外では社会生活上問題はないことが多い．
  - ▶ ただし一部では，注意障害，多動性，衝動性がみられることもある．
- 障害の範囲が限定的でその他の面では正常かそれ以上の能力があることから，かえって学習障害は気づかれにくく，努力不足と叱責されていることも多い．

精神遅滞

- 知的能力と社会適応能力の両方に障害がみられる．
- 脳の機能のほぼ全般的な発達遅滞，障害である．
- 精神遅滞の程度は知能指数（IQ）によって分類される．
- 精神遅滞の原因には身体的要因と環境要因がある．
- 精神遅滞の身体的要因となる病気
  - ▶ 遺伝性疾患（例：未治療のフェニルケトン尿症）
  - ▶ 染色体異常（例：21トリソミー）
  - ▶ 胎生期の異常（例：先天性風疹症候群）
  - ▶ 周産期の異常（例：重症の新生児仮死）
  - ▶ 生後の異常（例：細菌性髄膜炎）
- 精神遅滞の環境要因
  - ▶ 虐待（ネグレクトなど），愛情遮断症候群

13-❸ 児童虐待の型

① 身体的虐待	児童の身体に外傷が生じる，または生じるおそれのある暴行を加えること．
② 性的虐待	児童にわいせつな行為をすること，または児童にわいせつな行為をさせること．
③ ネグレクト	児童の心身の正常な発達を妨げるような著しい減食，または長時間の放置など，保護者としての監護を著しく怠ること．
④ 心理的虐待	児童に著しい心理的外傷を与える行動を行うこと．

4 虐待

児童虐待

- 児童虐待とは，保護者が自分の監護する児童（18歳未満）に対し行う残虐な扱いのことである．
- 児童虐待は4つの型に分けられる（**13-❸**）．
- ⦿ 子どもは，保護者から虐待を受けても，そのことを第三者に訴えることが状況的にきわめて困難である．
    - ▶ 子どもにとって，両親は唯一無二の存在である．
    - ▶ 親を訴えることは，親を失うことを意味する．
- 児童虐待は，秘匿されやすい性格をもっている．

児童虐待の防止等に関する法律

- 児童虐待の防止等に関する法律が，2000年（平成12年）に施行された（**1-❿**）．
- 児童虐待は，当事者からの通報が期待できないため，それに代わる者として**13-❹**の職種を「児童虐待を発見しやすい立場」と想定している．
- **13-❹**の職種に対し，法律では，児童虐待の早期発見に務める義務を課している．
    - ▶ さらに，虐待を受けた児童の保護と自立支援に関し，国や自治体が行う

> **13-❹ 児童虐待の発見・通告の義務が課された職種**
> - 学校，児童福祉施設，病院，その他児童福祉に関係のある団体および学校の教職員
> - 児童福祉施設の職員
> - 医師
> - 保健師
> - 弁護士
> - その他，児童福祉に関係のある者

　　　施策への協力を求めている．

- 13-❹の職種に対し，法律では，児童虐待を受けたと思われる児童を発見した場合，**児童相談所**[*4]などへ通告する義務を課している．
  - ▶虐待の疑いをもっただけで，通告が可能である．
  - ▶通告に際し，虐待の証拠は求められない．
  - ▶通告に際しては，職業上の守秘義務は免除される．
- 児童虐待の防止等に関する法律が施行されたことにより，児童虐待の発見は，以前より容易になった．

児童虐待の現状

- 児童相談所における虐待相談対応件数は，増加の一途をたどっている（13-❺）．
  - ▶児童虐待の防止等に関する法律の施行により，虐待の発見が容易になったことも，この件数の増加に影響していると考えられる．
- 児童虐待を内容（型）別にみると，身体的虐待とネグレクトが最も多く，2010年度（平成22年度）では，この2つが全体の約70％を占めている（13-❻）．
- 最近は，心理的虐待の増加傾向が目立つ（13-❻）．
  - ▶2010年度で全体の約27％．
  - ▶心理的虐待は，ほかの虐待に比べ外見に現れにくいため，この増加傾向も児童虐待の防止等に関する法律の施行が影響している可能性がある．
- 虐待を受けた小児を年齢別にみると，小学校入学前の乳幼児は44

13-❺ 児童相談所における虐待相談対応件数の推移

(日本子ども資料年鑑 2012 より)

13-❻ 児童相談所における虐待の内容別相談件数の推移

(日本子ども資料年鑑 2012 より)

%，これに小学生を含めると 80 % になる（**13-❼**）．
- 虐待の加害者は，約 2/3 が実母，約 1/4 が実父で，実母と実父による虐待が，全体の 9 割近くに達している（**13-❽**）．

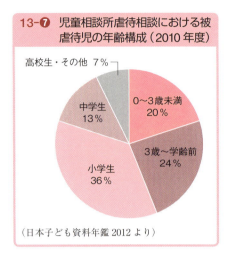

13-❼ 児童相談所虐待相談における被虐待児の年齢構成（2010年度）

（日本子ども資料年鑑 2012 より）

13-❽ 児童相談所虐待相談における主な虐待者の推移（2010年度）

（日本子ども資料年鑑 2012 より）

児童虐待の背景

- 子どもの虐待の加害者の多くは，精神疾患もなく犯罪歴もない，いわゆるふつうの人である．
    - ▶ 虐待の加害者は，外見をパッと見ただけでは判断できない．
- 若い片親，予定外に子どもができた親などが，児童虐待に走りやすい傾向がみられる．
- 親自身が幼小児期に虐待を受けていた場合，自分の子どもにも虐待をくり返す傾向がある．
    - ▶ 小児期に体罰を受けた経験のある親は，自分の子どもにも体罰を加えやすい．
    - ▶ 良いことも悪いことも含め，育児行為は再生産される傾向がある．
- 以下のような子どもは，虐待を受けやすい．
    - ▶ 精神遅滞児
    - ▶ 未熟児（早産児，低出生体重児）
    - ▶ 双子などの多胎児
    - ▶ 慢性疾患をもつ子ども
- 長期入院などにより，母子の生活が分離される期間が長くなること

> **13-❾ 「不自然なけが」や「不自然なようす」の例**
> - まだ歩けない乳児の骨折
> - 歩けるようになった乳幼児の，背中側のけが
>   ＊子どもが転ぶときは，通常，前に倒れるため，けがも前側に起きやすい．
> - 事故を何度もくり返す
> - 奇妙なかたちをした傷やあざ
> - 病気などの合理的な背景が存在しない栄養障害
> - 子どもの表情が乏しく，喜怒哀楽の感情が少ない場合

が，虐待の遠因となることが多い．
　▶親子の愛着形成のためには，生活空間の共有が重要である．

児童虐待の発見

- 子どものけがやようすを「不自然」，「おかしい」と感じることが，虐待の発見のきっかけとして，最も重要である（13-❾）．
- 子どもを虐待する親にも，不自然なようすがみられる場合がある．
  - ▶けがの理由を聞いても，説明が曖昧である．
  - ▶説明の内容が聞くたびに変わる．
  - ▶子どもの扱いがぎこちない．

5 子どもの心を守る

- 発達障害の子どもは個々の障害の型にあった対応や教育・療育が必要である．
  - ▶一般的な集団教育では才能を伸ばすことができず，自尊心を失い，落伍者にされてしまうことがよく起こる．
- 発達障害は発達の段階のなかではじめて気づかれる．
  - ▶ヒトは脳・神経系が最も未熟な状態で誕生し，生後に段階的に発達する．
  - ▶たとえば1～2歳のころの多動性はふつうにみられることである．
- 年齢不相応な多動性などの症状が発達障害の診断につながる．
  - ▶ただしこれも個性との区別が難しい場合も多い．
- 発達障害は基本的には先天的・部分的な脳の障害・異常（内因性）

である．
- 発達障害の症状と類似した状態が，虐待をはじめとする不適切な療育環境で発生する場合がある（外因性）．
    - ▶ コミュニケーションの障害（視線が合わない，笑わない，話さない），不注意性，多動性，衝動性などの症状が虐待でもみられることがある．
- 発達障害を疑う場合には，少しだけ虐待など不適切な養育環境の存在の有無に関しても注意を払う必要がある．
- 逆に発達障害もその存在が認識できていないと，しつけや教育のいきすぎから結果的に虐待が発生している場合も多い．
    - ▶ 虐待から発達障害をもつ当人にとってプラスとなるものは何もない．
    - ▶ 周囲の理解を得，本人の能力を最大限伸ばせる環境を整える必要がある．

6 子育てのなかで（乳幼児）

- 育児とは，自分が育てられたように育てることである．
    - ▶ 子どもが自分と同じように育つことは幸せなこと．
    - ▶ 自分以上の人間に育てることは望まないこと→虐待につながる可能性．
- 温かな心を育むために
    - ▶ 親は子どものありのままを受け入れることが重要である．
    - ▶ 親は子どもの最後の拠り所である．安心感が大事．
    - ▶ 過剰な期待は本人の否定につながる．
- しつけの方法
    - ▶ 子どもは親や身近な大人を見て育つ．
    - ▶ 親のやっていることを必死でまねる．
    - ▶ 言ったことは聞いていない．
    - ▶ しつけのためには目に見えるかたちで示す必要がある．
- 子どもの遊び
    - ▶ 人生の学校である．
    - ▶ 社会性，人間性といった人間社会の基礎を学ぶ．
    - ▶ 学校や塾で学ぶ，いわゆるお勉強よりはるかに重要である．
    - ▶ 大人の遊びとは意味が違う．
    - ▶ 早期教育のために遊びを犠牲にしてはいけない．

用語解説

*1 **常同行動**

同じ動作を何度もくり返すこと.

*2 **スペクトラム**

プリズムに日光を通すと虹状に中間色も含めさまざまな色が見えてくるように,中間層が連続的に存在している様子をいう.

*3 **行動療法**

心理療法の一種で,行動そのものを変化させることにより,症状の改善を試みる方法.

*4 **児童相談所**

児童の福祉に関する相談に応じるほか,必要に応じて児童や家庭の調査・指導を行う.また,児童の一時保護や児童養護施設などへの入所措置の決定なども行われる.詳細は14章を参照のこと.

14章 地域との関わり

1 母子保健対策

- 母子保健法は，妊婦とその胎児，産後の母親と乳児・幼児の健康を保ち，さらに増進させることを目的に定められた法律である．
  - ▶ 1965年（昭和40年）に制定された．
- 法律が目指す目的を達成するために，**14-❶**のような事業が，この法律の下で実施されている．

2 健診

母子健康手帳

- 母子保健法の規定に基づき，母子健康手帳（通称，母子手帳）が，すべての妊婦に交付されている（**14-❷**）．
  - ▶ 妊娠が判明した時点で，住居地の市区町村長に妊娠届を提出し，その際に市区町村長より交付を受ける．
  - ▶ 手帳のデザインは自治体ごとの裁量が認められ，さまざまである．
- 母子健康手帳には，以下の内容が実施時に記録される．
  - ▶ 妊婦の保健指導（妊婦健診）と訪問指導の内容と評価
  - ▶ 出産・出生時，および生後退院までの状況
  - ▶ 乳幼児の保健指導（乳幼児健診）と訪問指導の内容と評価
  - ▶ 接種された予防接種の記録
- 母子健康手帳では，**14-❸**のような月齢・年齢の乳幼児健診欄が設

14-❶ 母子保健法に基づき実施される事業

- 母子健康手帳の交付
- 妊産婦の保健指導および訪問指導
- 新生児の訪問指導
- 未熟児の訪問指導
- 幼児の健康診査（1歳6か月，3歳）
- 未熟児医療費の補助（養育医療）
- 調査研究の推進
- 医療設備の推進

14-❷ 母子健康手帳

14-❸ 月齢・年齢別乳幼児健診と公的負担の範囲

公費負担の範囲	内容
1か月	A
3～4か月	B・E
6～7か月	B
9～10か月	B
1歳	C
1歳6か月	B・E
2歳	C
3歳	B・E
4歳	C
5歳	D
6歳	C

＊公費負担の範囲と健診の時期（月齢・年齢）に関しては，各市区町村の裁量に任されている部分があるため，地域ごとに多少異なる面がある．

公費負担の範囲	内容
A	1か月健診は重要であるが，自己負担で，多くは出生した医療施設で実施されている．
B	発育発達上，節目となる，とくに重要な健診で，公費負担で実施される地域が多い．
C	公費の補助は通常なく，健診を受けた場合は自費となる．
D	5歳児健診は，これまでほとんど助成が行われていなかったが，最近重要性が指摘され，一部の自治体で助成が始まっている．
E	地域により異なるところもあるが，集団健診として実施されることが多い．

定されている．

- 乳幼児健診では，主に以下の項目がチェックされ，母子健康手帳に記載される．
  ▶ 身体計測：体重，身長，頭囲，胸囲
  ▶ 発達の状況：頸定，寝返り，おすわり，はいはい，つかまり立ち，つた

14-❹ 保育所の施設数，在所児童数の推移

(注) 各年10月1日現在．
(厚生労働省大臣官房統計情報部「社会福祉施設等調査報告」より)

　　　い歩き，ひとり立ち，ひとり歩き，発語，音に対する反応など．
　　▶栄養の状況：母乳栄養，人工乳栄養，離乳食
　　▶歯の数と健康状況
●予防接種時には，母子健康手帳にワクチンの種類，接種日，ワクチンのロット番号，接種量，接種者が記録される．

3 保育所，幼稚園，こども園

●近年，女性の就労率が高まるのに伴い，**保育所**[*1]在所児童数も増加傾向が続いている（14-❹）．
　　▶しかし，保育所の定員数はこれに追いついていない．
●0歳児の保育所利用児童数は，年々増加傾向にあり，2015年（平成27年）は約12万4千人となっている（14-❺）．
　　▶母親の出産後早期の職場復帰の必要性が増加していることが推測される．
●1〜2歳児の保育所利用児童数も，0歳児と同様に年々増加傾向にあ

14-❺	年齢区分別，保育所利用児童数の推移		
	0歳児	1・2歳児	3歳以上児
2010	99,223	642,862	1,338,029
2011	105,366	667,945	1,349,640
2012	108,950	689,675	1,378,177
2013	112,373	715,400	1,391,808
2014	119,264	739,693	1,407,856
2015	123,657	769,115	1,437,886

(厚生労働省雇用均等・児童家庭局保育課「保育所の状況等について」より）

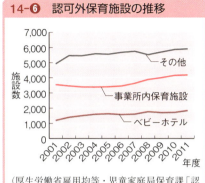

(厚生労働省雇用均等・児童家庭局保育課「認可外保育施設の現況」より）

(厚生労働省雇用均等・児童家庭局保育課「保育所の状況等について」より）

(厚生労働省大臣官房統計情報部「社会福祉施設等調査報告」をもとに作図）

り，2015年（平成27年）は約77万人となっている（**14-❺**）．

- 保育所の施設数が伸び悩むなかで，認可外保育施設は年々増加している（**14-❻**）．
  - ▶事業所内保育施設も若干増加傾向である．
  - ▶ベビーホテル，その他の認可外保育施設が，増加傾向にある．
- 保育所待機児童数に関しても，改善傾向はみられていない（**14-❼**）
- 保育所の施設数は公営が減少傾向で，これに代わって私営が増加傾向となり，2007年には逆転している（**14-❽**）．

14 地域との関わり

14-❾ 保育所における特別保育の実施状況（2013年）

区分		合計	公営	民営
延長保育	か所	18,150	5,489	12,661
	実施率（%）	75.5	54.7	90.4
一時預かり	か所	7,524	―	―
（保育所型）	実施率（%）	31.3	―	―
休日保育	か所	1,163	130	1,033
	実施率（%）	4.8	1.3	7.4
病児・病後児保育事業	か所	532	66	466
（自園型）	実施率（%）	2.2	0.7	3.3

（厚生労働省雇用均等・児童家庭局保育課調査より）

- ▶ 特別保育のサービス（延長保育，一時保育，特定保育，休日保育，病児・病後児保育）は，主に私立保育所で行われ，公立保育所の関与は少ない（**14-❾**）.
- 少子化の進行に伴い，**幼稚園**[*2]の総園児数は，減少傾向となっている（**14-❿**）.
  - ▶ 3歳児の園児数のみは増加傾向を示しており，2年保育から3年保育化への動きが見てとれる.

こども園

- こども園とは，保育所と幼稚園それぞれのよいところを活かしながら，両方の役割を果たすことができる施設である.
  - ▶ 2006年に法律が定められ，それに基づいて設置された.
  - ▶ 保育所も幼稚園も，就学前の子どものための施設という点では共通点だが，行政上の所管が異なることからそれぞれ制約があり，不都合な点も多かった.
  - ▶ こども園は，このような不都合を乗り越え，より子どもや保護者に役立つ施設となるよう生み出された.
- こども園は，都道府県ごとに認定される（認定こども園）.

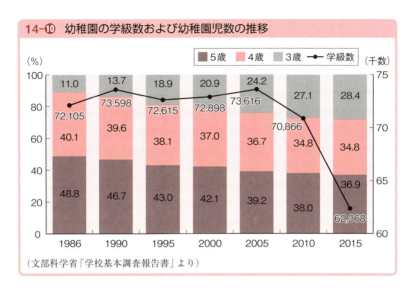

14-⓫ 認定こども園のタイプ	
幼保連携型	認可幼稚園と認可保育所とが連携して，一体的な運営を行うことにより，認定こども園としての機能を果たすタイプ
幼稚園型	認可幼稚園が，保育に欠ける子どものための保育時間を確保するなど，保育所的な機能を備えて認定こども園としての機能を果たすタイプ
保育所型	認可保育所が，保育に欠ける子ども以外の子どもも受け入れるなど，幼稚園的な機能を備えることで認定こども園としての機能を果たすタイプ
地方裁量型	幼稚園・保育所いずれの認可もない地域の教育・保育施設が，認定こども園として必要な機能を果たすタイプ

▶ 認定基準は国の指針をもとに，各都道府県が条例で定める．

◉ 認定こども園には，**14-⓫**のような4つのタイプがある．

● 2015年4月現在，公立私立別では私立の認定こども園が多く，タイプ別では幼保連携型が最も多く，ついで幼稚園型となっている（**14-⓬**）．

▶ 2015年4月現在，認定こども園の認定件数は2,836と，徐々に増加傾向にある．

14-⓬ 認定こども園の状況（2015年4月1日現在）

（文部科学省・厚生労働省幼保連携推進室「認定こども園の平成27年4月1日現在の認定件数について」2015より）

4 保健所・保健センター，児童相談所

保健所・保健センター

- 保健所と保健センターは，地域の保健，衛生問題に広く対応する目的で，地域保健法に基づき設置されている．
- 保健所と保健センターの違いは，設置される行政単位が異なるとともに，業務のカバーする範囲も異なる点である．
- 保健所は，保健センターより大きな行政単位に設置され，業務内容もより広範である．
  ▶ 保健所は，都道府県，政令指定都市，中核都市，政令で定める市または特別区に設置される．
  ▶ 保健センターは，市町村に設置される．
- 保健所・保健センターは主に14-⓭の事業を行う．

児童相談所

- 児童相談所は，児童福祉法に基づき設置される，児童福祉のための専門機関である．
- 児童相談所は都道府県，政令指定都市，中核都市に設置される．
  ▶ 都道府県では多いところで11か所，少ないところで2か所に設置されている．

14-⑬ 保健所・保健センターの事業

保健所	・地域保健に関する思想の普及と向上 ・人口動態統計等に関する業務 ・栄養の改善，食品衛生 ・住宅，水道，下水道，廃棄物処理 ・医事，薬事，保健師関連事項 ・公共医療事業 ・母性保健，乳幼児保健，老人保健，歯科保健，精神保健 ・伝染病，疾病の予防
保健センター	・住民の健康相談 ・住民の保健指導 ・住民の健康診査

14-⑭ 児童相談所における相談内容別受付件数（平成26年度）

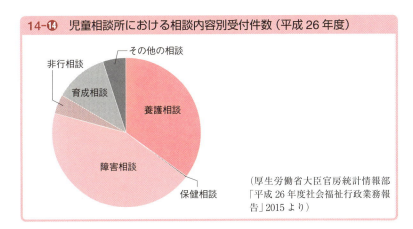

（厚生労働省大臣官房統計情報部「平成26年度社会福祉行政業務報告」2015より）

▶政令指定都市ではおよそ1か所，一部で複数箇所に設置されている．

◉児童相談所には，相談，一時保護，措置の3つの機能がある．

相談
- 児童の福祉に関するあらゆる相談を受ける（**14-⑭**）．
- 児童の家庭，地域状況などを調査，診断，判定し，処遇方針を決める．

一時保護
- 必要に応じて，児童を家庭から離して一時保護する．

14 地域との関わり

14-⑮ 養護施設児の養護問題発生理由別児童数と割合（平成25年）

理由	人数（人）	割合（%）
父母の死亡	1,295	2.8
父母の行方不明	1,935	4.1
父母の離婚	1,259	2.7
父母の未婚	195	0.4
父母の不和	350	0.7
父母の拘禁	1,869	4.0
父母の入院	1,628	3.5
家族の疾病の付添	11	0.0
次子出産	19	0.0
父母の就労	2,154	4.6
父母の精神疾患等	10,229	21.9
父母の放任・怠惰	5,868	12.5
父母の虐待・酷使	6,919	14.8
棄児	267	0.6
養育拒否	2,636	5.6
破産等の経済的理由	2,220	4.7
児童の問題による監護困難	1,325	2.8
その他	5,003	10.7
特になし	293	0.6
不詳	1,295	2.8
総数	46,770	100.0

（厚生労働省雇用均等・児童家庭局「児童養護施設入所児童等調査」2015より）

措置

- 児童やその保護者を指導する．
    ▶児童福祉司，児童委員などが指導する．
- 児童を児童福祉施設などに入所させる．
- 児童を里親，保護受託者に委託する．
- ◎養護施設児の養護問題発生の理由は，虐待関連（父母の放任・怠惰，父母の虐待・酷使，棄児，養育拒否）が目立ち，ついで父母の精神疾患等，破産等の経済的理由となっている（14-⑮）．

5 医療上の支援

未熟児養育医療

- 未熟児養育医療は，早産児，低出生体重児の入院治療にかかる高額な費用を，自治体が援助する制度である．
  - ▶母子保健法に基づく制度である．
  - ▶支給は，都道府県の知事，政令指定都市や特別区の長に申請する．
  - ▶自治体ごとに独自に決められた制度のため，支給の基準も自治体ごとに異なる．
  - ▶支給が受けられるのは，各自治体があらかじめ指定した指定養育医療機関で入院治療を受けた場合のみである．

小児慢性特定疾患

- 小児慢性特定疾患は，小児の慢性疾患のうち，とくに治療期間が長く，治療費も高額な慢性疾患を選び，都道府県などの自治体が，患者自己負担分の医療費を補助する制度である．
  - ▶児童福祉法に基づく制度である．
  - ▶支給は，都道府県の知事，政令指定都市や特別区の長に申請する．
  - ▶支給対象は，原則として18歳未満である．
  - ▶支給対象となる疾患群は，14-⓰のとおりである．
  - ▶治療法の確立と普及に関する研究に対しても，支援が行われている．

自立支援医療（育成医療）

- 自立支援医療（育成医療）は，小児の身体障害者で，手術などの医療により障害の改善が見込まれる場合に，その費用を一部助成負担する制度である．
  - ▶障害者自立支援法に基づく制度である．
  - ▶支給は，都道府県の知事，政令指定都市や特別区の長に申請する．
  - ▶支給対象は，原則として18歳未満である．

14 地域との関わり

14-⑯ 小児慢性特定疾患の対象疾患群

疾患群	例
悪性新生物	白血病，脳腫瘍 など
慢性腎疾患	ネフローゼ症候群 など
慢性呼吸器疾患	気管支喘息 など
慢性心疾患	心室中隔欠損症 など
内分泌疾患	成長ホルモン分泌不全性低身長症 など
膠原病	若年性特発性関節炎 など
糖尿病	
先天性代謝異常	糖原病 など
血液疾患	血友病A など
免疫疾患	複合免疫不全症 など
神経・筋疾患	ウエスト症候群 など
慢性消化器疾患	胆道閉鎖症 など
染色体又は遺伝子に変化を伴う症候群	ダウン症候群 など
皮膚疾患群	表皮水疱症 など

14-⑰ 自立支援医療（育成医療）の対象となる障害・病気

- 肢体不自由
- 視覚障害
- 聴覚・平衡機能障害
- 音声・言語・そしゃく機能障害
- 心臓機能障害
- 腎臓機能障害
- 小腸機能障害
- 肝機能障害
- その他の先天性内臓障害
- 免疫機能障害

14-⑱ 児童福祉施設

助産施設	経済的理由で入院助産を受けられない妊産婦のための施設
乳児院	乳児を入院させ，養育する施設
母子生活支援施設	配偶者のない母と子を入所させ保護し，自立支援をする施設
保育所	親の保育が困難な乳児，幼児，学童を，日ごとに預かり，保育する施設
児童厚生施設	児童に健全な遊びを提供するための施設
児童養護施設	保護者のない児童，虐待された児童を入所させ，養護する施設
知的障害児施設	知的障害のある児童を入所させ保護し，自活に必要な知識や技能を与えるための施設
盲・ろうあ児施設	盲児（強度弱視児を含む），ろうあ児（強度難聴児を含む）を入所させ保護し，自活に必要な指導や援助を行うための施設
肢体不自由児施設	肢体不自由のある児童を治療し，自活に必要な知識や技能を与えるための施設
重症心身障害児施設	重度の知的障害と重度の肢体不自由が重複している児童を入所させ保護し，治療や日常生活の指導を行うための施設
情緒障害児短期治療施設	軽度の情緒障害がある児童を短期間入所または通わせて治療するための施設．退所者の相談や援助も行う
児童自立支援施設	不良行為をした児童，不良行為をするおそれのある児童，生活指導が必要な児童を入所または通わせ，必要な指導や自立支援を行うための施設．退所者の相談，援助も行う
児童家庭支援センター	児童福祉に関する問題の相談に応じ，助言や援助，指導を行う施設

14-⑲ 種類別児童福祉施設の在所者数の推移（人）

施設区分	1990年	2000年	2010年
総数	1,797,950	1,976,976	2,127,760
乳児院	2,599	2,784	3,136
母子生活支援施設	11,936	11,555	10,006
保育所	1,723,775	1,904,067	2,056,845
児童養護施設	27,423	28,913	29,975
知的障害児施設	16,754	12,276	8,214
自閉症児施設	313	258	170
知的障害児通園施設	6,207	7,911	9,679
盲児施設	365	178	120
ろうあ児施設	293	231	142
難聴幼児通園施設	710	944	912
虚弱児施設	1,578	—	—
肢体不自由児施設	6,217	4,248	1,958
肢体不自由児通園施設	2,407	2,932	2,441
肢体不自由児養護施設	269	257	263
重症心身障害児施設	6,551	9,322	11,004
情緒障害児短期治療施設	460	865	1,175
児童自立支援施設	2,029	1,790	1,726

（厚生労働省大臣官房統計情報部「社会福祉施設等調査報告」より）

▶ 支給対象となる障害・病気は，14-⑰のとおりである．
▶ 支給が受けられるのは，各自治体があらかじめ指定した指定育成医療機関で治療を受けた場合のみである．

6 児童福祉施設

- 児童福祉法に基づき，児童福祉の目的を達成するために，さまざまな種類の施設が設置されている（14-⑱）．
- 現在も，数として不足している施設が，まだ残されている（14-⑲）．

14 地域との関わり

用語解説

*1 **保育所**

厚生労働省所管の保育を主な目的とした施設.

*2 **幼稚園**

文部科学省所管の幼児教育を主な目的とした施設.

索引

あ

アスペルガー症候群	142
遊び	57
遊び食い	48
アトピー性皮膚炎	121
アナフィラキシー	125
アミノ酸	73, 80
アレルギー	120
アレルギー性結膜炎	128
アレルギー性鼻炎	128
移行抗体	89
遺伝	72
遺伝カウンセリング	79
遺伝子	73
遺伝子病	76
遺伝病	76
インフルエンザ	98
インフルエンザ菌b型（Hib）感染症	95
インフルエンザワクチン	116
ウイルス性胃腸炎	83
うつ熱	52
うつぶせ寝	55, 129
運動発達	26, 140
栄養	39
エピペン®	126
黄色ブドウ球菌感染症	94
嘔吐	53, 82
黄熱ワクチン	118
おすわり	27, 30
おたふくかぜ	97
おたふくかぜワクチン	115
おむつ	54
おやつ	49

か

外気浴	55
外出	57
カウプ指数	22
学習障害	144
学童期	4
獲得免疫	34, 120
かぜ症候群	86, 88, 97
学校感染症	92
学校生活管理指導表	133, 137
学校保健安全法	92, 103
花粉症	124
川崎病	129
間食	49
感染症	3, 89
勧奨接種以外のワクチン	117
勧奨接種のワクチン	106
カンピロバクター	102
陥没呼吸	124
気管支喘息	123
きげん	82
起坐呼吸	124
季節性インフルエンザ	104, 116
虐待	13, 145
救急処置	67
急性喉頭蓋炎	96, 106, 119
急性細気管支炎	99
急性鼻咽頭炎	86, 88
胸囲	17, 22
狂犬病ワクチン	118
凝視	35, 37
くしゃみ	85
首のすわり	27, 28, 37
クラミジア	91
クリプトスポリジウム	91
クループ	85, 88
くる病	56, 59
経口補液水	53, 85
経胎盤感染	91
経胎盤免疫	34, 89
頸定	27, 28, 37
けいれん	86
下痢	53, 84
健康の定義	2
誤飲事故	63
合計特殊出生率	7, 8, 13
後天性免疫	34, 120, 127
行動療法	143, 151
広汎性発達障害	142
呼吸	33
固視	37
子育て	150
こども園	154, 156
コリック	55
混合栄養	43

さ

サーファクタント	137, 139
細菌感染症	89
細菌性胃腸炎	84
サルモネラ菌	91, 101
耳音響放射	35, 38

視覚	35	
子宮頸がん	114	
事故	3, 60	
思春期	4	
児童虐待	13, 145	
児童虐待の防止等に関する法律	10, 145	
児童憲章	9	
児童相談所	146, 151, 158	
児童の権利に関する条約	9, 10	
児童福祉施設	162, 163	
児童福祉法	7, 8	
ジフテリア	109	
自閉症	142	
自閉症スペクトラム障害	142	
シャフリング・ベビー	29	
周産期死亡率	6, 12	
集団生活	3, 12, 90	
絨毛検査	78, 80	
樹状細胞	127	
出生前診断	78	
出生率	7, 12	
瞬目反射	35, 38	
常同行動	142, 151	
小頭症	21, 25	
小児慢性特定疾患	161, 162	
食中毒	99	
食物アレルギー	125	
食欲	81	
ショック	126	
初乳	41	
自立支援医療（育成医療）	161, 162	
自律授乳	44, 50	
人工呼吸	69-71	
人工乳	42	

心室中隔欠損症	136	
新生児仮死	137, 139	
新生児期	4	
新生児死亡率	4, 5, 12	
新生突然変異	76, 80	
心臓マッサージ	69-71	
身長	16, 19	
心肺蘇生	69	
心房中隔欠損症	136	
じんま疹	125	
水痘（みずぼうそう）	97	
水痘帯状疱疹ウイルス	111	
水頭症	21, 25	
水痘ワクチン	112	
水分補給	53	
髄膜炎	83, 95, 103, 108	
睡眠	36, 55	
スキャモンの臓器別発育曲線	23	
頭痛	98	
成熟乳	41	
精神遅滞	144	
精神発達	26, 140	
性染色体	74	
成長	14	
成長ホルモン分泌不全性低身長症	133	
咳	85	
接触感染	91	
染色体	73, 75	
先天性心疾患	135	
先天性難聴	35	
先天性免疫	120, 127	
潜伏期	103	
喘鳴	124	
早期新生児期	4	
早期新生児死亡率	4, 12	
咀嚼	44	

た

ターナー症候群	78	
体温	51	
体重	15, 19	
帯状疱疹	97, 103	
大腸菌	54	
胎便	137, 139	
ダウン症候群	77	
多呼吸	124	
脱水	84	
タンパク質	72, 73, 80	
タンパク尿	133	
窒息事故	61, 62	
知能指数（IQ）	32	
注意欠陥多動性障害（ADHD）	142, 143	
腸炎ビブリオ	101	
聴覚	35	
聴性脳幹反応	35, 38	
追視	35, 38	
つかまり立ち	27, 30, 31	
つたい歩き	31	
低温やけど	53	
定期接種ワクチン	106	
低身長	133	
低体温	53	
溺水	65, 66	
てんかん	133	
転倒事故	64	
転落事故	64	
頭囲	18, 20	
特殊ミルク	43	
とびひ（伝染性膿痂疹）	95	
トリソミー	77	

な

生ワクチン	105, 119	

索引

喃語	28, 141
難聴	135
日光浴	55
二度なし現象	90, 105
日本脳炎ワクチン	112
乳児期	4
乳児死亡率	4, 5, 12
乳児ボツリヌス症	104
乳児用調製粉乳	42, 50
乳幼児突然死症候群	55, 59, 129
入浴	56
尿路感染症	130
寝返り	27, 29
熱傷	66
熱性けいれん	131
熱中症	131
脳性麻痺	138
ノロウイルス	83, 87

は

パーセンタイル値	25
肺炎球菌ワクチン	108
はいはい	29, 30, 37
背部叩打法	68, 69, 71
ハイムリッヒ法	68, 69, 71
はしか	96
破傷風	110
はちみつ	104
発育	14
発育パーセンタイル曲線	15-18
白血病	134
発語能力獲得	36
発達	14, 26, 140
発達検査法	33
発達指数（DQ）	32
発達障害	140, 149

発熱	81
鼻汁	85
歯磨き	56
パンデミック・インフルエンザ	104
肥厚性幽門狭窄症	82
ヒスタミン	121, 123, 125, 128
ヒトパピローマウイルスワクチン	114
人見知り	30, 37
ひとり歩き	27
ひとり立ち	31
飛沫核感染（空気感染）	90
飛沫感染	91
肥満	22
肥満細胞	121, 128
百日咳	85, 88, 95, 109
頻尿	130
風疹	96
ブースター接種	105, 119
不活化ワクチン	105, 119
不慮の事故	60
ベビーフード	47
便	54
偏食	48
保育所	154, 164
保育所待機児童	155
保健所	158, 159
保健センター	158, 159
母子健康手帳	152
母子保健法	152, 153
発疹	96
ボツリヌス菌	100
母乳栄養	39
ポリオワクチン	110

ま

マイコプラズマ感染症	89
マクロファージ	120, 127
麻疹（はしか）	96
麻疹・風疹混合ワクチン	111
慢性腎炎	133
慢性肺疾患	137
未熟児養育医療	161
みずいぼ	91
脈拍	33
免疫グロブリン	37, 50, 89, 103, 128
モノソミー	78

や

やけど	66
やせ	22
優性遺伝	74, 75
幼児期	4
羊水検査	78, 80
幼稚園	154, 156, 164
溶連菌感染症	93
夜泣き	55
予防接種	105
四種混合ワクチン	95, 103, 109

ら

離乳食	44, 45
リンパ球	120, 127
劣性遺伝	74, 75
レム睡眠	36, 38
ロイコトリエン	121, 123, 125, 128
ローレル指数	23
ロタウイルス	83, 87

ロタウイルスワクチン 117

わ

ワクチン 105
ワクチン関連麻痺性ポリオ 110

数字・欧文

2語文 32, 37, 141
21トリソミー 77, 144
A型肝炎ワクチン 117
ADHD 142, 143
B型肝炎ワクチン 106
BCGワクチン 111
BMI（body mass index） 22
DNA 73, 80
DPT-IPV四種混合ワクチン 95, 103, 109
DQ（developmental quotient） 32
Hibワクチン 108
HIV（human immunodeficiency virus） 50, 91
IgG 37
IQ（intelligence quotient） 32, 33
MR混合ワクチン 111
O157 102
RSウイルス感染症 98
Xモノソミー 78

渡辺　博

1955年	福岡県生まれ
1981年	東京大学医学部卒業
2003年	東京大学医学部小児科・講師
2010年	帝京大学医学部附属溝口病院小児科・教授
趣　味	音楽鑑賞，読書
ひと言	希望するすべてのお子さんに，なるべくたくさんの種類のワクチン接種を
現　職	帝京大学医学部附属溝口病院小児科・教授 上智社会福祉専門学校・非常勤講師

中山書店の出版物に関する情報は,小社サポートページを御覧ください.
https://www.nakayamashoten.jp/support.html

子どもの保健 改訂第3版

2010年9月27日	初版第1刷発行
2012年3月30日	初版第2刷発行
2012年7月5日	改訂第2版第1刷発行
2014年4月30日	改訂第2版第2刷発行
2016年1月5日	改訂第2版 新装版第1刷発行
2017年2月22日	改訂第3版発行ⓒ

〔検印省略〕

編 著───── 渡辺 博 (わたなべ ひろし)

発 行 者───── 平田 直

発 行 所───── 株式会社 中山書店
〒112-0006 東京都文京区小日向4-2-6
TEL 03-3813-1100(代表) 振替 00130-5-196565
https://www.nakayamashoten.jp/

デザイン・装丁───── 臼井弘志(公和図書デザイン室)
イラスト───── はんざわのりこ
印刷・製本───── 図書印刷株式会社

Published by Nakayama Shoten Co., Ltd.　　　　Printed in Japan
ISBN978-4-521-74487-2
落丁・乱丁の場合はお取り替え致します

- 本書の複製権・上映権・譲渡権・公衆送信権(送信可能化権を含む)は株式会社中山書店が保有します.

- |JCOPY| <(社)出版者著作権管理機構 委託出版物>
本書の無断複写は著作権法上での例外を除き禁じられています.複写される場合は,そのつど事前に,(社)出版者著作権管理機構(電話03-3513-6969,FAX 03-3513-6979, e-mail: info@jcopy.or.jp)の許諾を得てください.

- 本書をスキャン・デジタルデータ化するなどの複製を無許諾で行う行為は,著作権法上での限られた例外(「私的使用のための複製」など)を除き著作権法違反となります.なお,大学・病院・企業などにおいて,内部的に業務上使用する目的で上記の行為を行うことは,私的使用には該当せず違法です.また私的使用のためであっても,代行業者等の第三者に依頼して使用する本人以外の者が上記の行為を行うことは違法です.